KB104520

차동엽
신부의
7
가지 선물

Nihil Obstat:
Rev. Pius Lee
Censor Librorum
Imprimatur:
Most Rev. John Baptist JUNG Shin-chul, S.T.D., D.D.
Episcopus Dioecesanus Incheonensis
2020. 7. 28.

교회인가 2020년 7월 28일
초판 1쇄 발행 2020년 9월 10일
초판 7쇄 발행 2023년 12월 20일

엮음 김상인

펴낸이 (사)미래사목연구소
펴낸곳 위즈앤비즈
디자인 박은영
주소 경기도 김포시 고촌읍 신곡로 134
전화 031-986-7141 **팩스** 031-986-1042
출판등록 2007년 7월 2일 제409-3130000251002007000142호

ISBN 978-89-92825-02-3 03810
값 16,000원

김상인 엮음

사랑하는 차동엽 신부님께 바칩니다.

프롤로그

가슴 속에 살아있는 이름

0시 20분

깊은 잠에 빠져 있던 시간,

꿈속에 반가운 한 사람이 찾아왔다.

'차동엽 신부'

2019년 11월 12일, 그는 오랜 투병 생활을 끝으로 주님 품으로 갔다.

더 이상 그의 얼굴을 볼 수도, 그의 음성을 들을 수도 없지만, 가슴 속에 살아있음을 느끼는 것은 왜일까?

2020년 6월 3일 깊은 밤 꿈속에서 만난 차 신부의 모습은 밝았다. 마음을 나눈 제자에게 많은 말 대신 '나 잘 지내고 있어'라고 말하는 듯 엷은 미소를 보였다.

그리고 갑자기 주님 품으로 떠나 연구소 인수인계를 못 한 것이 미안

한 듯, '미안하면서 고맙다'는 짧은 말을 하고 꼭 안아주었다.

그토록 그리웠던 차 신부를 꿈에서라도 만나 행복감을 느낀 순간이었다. 그러면서 차 신부의 회고록을 준비하는 시간 동안 기쁨과 설렘 그리고 고뇌 속에 그도 함께하고 있음을 체험했다.

차 신부는 우리가 잘 알고 있듯 '희망의 멘토'였다. 아니 지금도 그렇다!

언제나 기쁘고 밝게 사람들을 대했고, 특히 어려움에 부닥친 사람들과 연대해 그들이 겪고 있는 고통 속에서도 희망을 발견하게 해 주었다.

그는 인간이 가진 실존적인 물음들을 진지하게 고민해서 아직 희망이 남아 있고, 그 희망 속에서 우리는 꼭 행복할 것이라는 꿈을 안겨준 사람이었다.

이런 고뇌와 그것을 해결하기 위한 노력은 그의 저서와 강연 그리고 각종 언론매체와의 인터뷰에 고스란히 담겨 있다.

그가 남겨 놓은 서적들을 정독하면서 연대기적 순서를 따르는 회고록의 형태보다 지금 이 순간, 우리를 향해 그가 말하고 싶은 것이 무엇인지 들으려 했다. 이것은 차 신부가 사목 신학자였다는 사실에서 비롯된다. 그는 실천신학을 전공하면서 현시대를 사는 사람들이 겪는 삶의 상황에 많은 관심을 가졌고 공감하려 노력했다. 그래서일까, 그가 생전

가슴에 품었던 생각과 그가 남긴 많은 말들이 오늘을 사는 우리에게 여전히 유효한, '현재 진행형'의 메시지임을 강하게 느꼈다.

특히, 차 신부의 글을 분석하면서 차 신부가 유언처럼 남겨 놓은 '7가지 선물'을 발견하게 되었다. 그것은 의무가 아닌 차 신부가 우리에게 주는 선물이라 생각한다. 그 선물에는 차 신부가 그토록 강조했던 '희망'을 비롯해 그가 신앙인으로 가졌던 마음과 인생의 길잡이로 삼을 내용이 포함되어 있다.

차 신부는 아직 우리에게 못다 한 말들이 많다. 그는 평생 사람들을 지극히 사랑했던 사제였고, 힘든 이들과 함께하고 싶어 했기 때문이다. 그는 여전히 그들 곁을 동행하며, 힘을 불어넣어 주길 원하지 않을까.

차 신부가 주는 7가지의 선물은 우리 모두에게 주는 선물이다.
각자에게 맞는 선물이 책 곳곳에 숨겨져 있다.
이제 마음을 열고 그가 주는 선물을 찾으러 가자.

엮은이

차례

제3장 지혜의 맥

제4장 귀한 말씨

차례

제5장 희망의 샘

제6장 감사의 기적

제7장 행복의 숨결

제 1 장

긍정이 낳은 힘

내 인생의 핵심주제

인생에서 '고통'은 어떤 의미일까?

누구나 기쁘고 행복한 순간을 꿈꾸고 바라지만, 우리 삶은 그렇게 순탄치만은 않다.

어쩌면 삶의 많은 시간을 이 고통과 함께 살아가야만 한다.

차동엽 신부에게도 고통은 피해갈 수 없는 존재였고 그에게 큰 의미로 다가왔다.

사실, 고통은 내 인생의 핵심주제였다. 극도로 어려운 환경에서 성장한 나는 보장되지 않은 미래를 개척하느라고 남다른 땀과 눈물을 흘리며 살아올 수밖에 없었다. 고통의 의미도 어지간히는 깨달아 알고 있다.[1]

차 신부 인생에서 고통이 핵심주제였다는 고백은 고통에 대한 남다른 체험과 이를 극복하기 위한 몸부림이 있었기 때문이다.

그는 자신이 유년시절부터 겪어야만 했던 고통에 대해 이렇게 말하고 있다.

고생으로 치자면 나도 빠지지 않습니다.

나는 초등학교 4학년 때부터 관악산 기슭 산동네 비탈길에서 연탄 짐을 지며 살았습니다. 지금 돌이켜 보면 끔직한 일입니다. 중3 때까지 하루도 거르지 않고 지게 짐을 졌으니, 키가 자랄 리 없었습니다. 힘든 걸로 치자면, 어른이 하루 종일 나르는 양을 방과 후 밤늦도록 져야 했으니, 무엇에 비교할 수 있을까요.

가난했기 때문에 공고에 진학했습니다. 공고에서 대학 진학을 꿈꾸며 몇 곱절 어렵게 공부해야 했습니다. 20대 말부터 B형 간염 보균자, B형 간염, 간경화로 진행하고 있는 육신을 동무 삼아 건강인 이상의 업무를 수행하고 있습니다. 게다가 사제의 본령상 다른 사람이 겪는 고통을 꼭 내 것인 양 함께 아파하는 것에 익숙합니다.[2]

어린 시절 차 신부의 집안 형편은 넉넉지 않았다. 어린 몸으로 연탄 지게를 짊어질 수밖에 없었던 삶은 그에게 받아들이기 어려운 현실이었을 것이다. 그러나 그는 그때부터 묵묵하게 고통을 받아들이는 훈련을 해온 것이다.

이후의 삶도 고통의 연속이었다. 특히 그의 고통을 가중시킨 것은 '건강 문제'였다. 그는 간염과 간경화로 오랜 시간 고생했던 삶을 통해 어쩌면 고통을 벗 삼는 경지에 오른 지도 모른다.

내가 살아가는 이유

사람은 누구나 살면서 인생을 변화시킬만한 중요한 사건들을 체험하게 된다.

차 신부도 유학생활 중 겪은 대형 사고를 통해 인생의 의미를 다시금 발견하게 된다.

오스트리아 빈 유학시절 인스부르크라는 도시를 여럿이서 승용차로 다녀올 일이 있었다. 차주인 엄마와 아들, 유학생 하나와 나, 이렇게 넷이서 동승하였다. 귀가 중 고속도로에서 갑자기 차가 중심을 잃고 가드레일을 받은 후 공중으로 높이 솟구치더니 세 바퀴를 굴러 멈추어 섰다. 영화에서나 볼 수 있는 스릴 만점의 곡예였다. 차가 공중에서 돌고 있는 찰나, 나의 뇌리에 생각 하나가 섬광처럼 스쳤다.

"어, 난 할 일이 있는데."

그리고 차는 거꾸로 뒤집힌 채 섰다. 타이어가 펑크가 났던 것이다. 우리 모두는 무사했다. 하나둘 생존이 확인되었고, 내가 마지막으로 간신히 안전벨트를 풀고 산산이 깨진 유리조각 사이로 기어 나왔다. 나가서 보니 차의 크랭크 축이 부러져 있었고 차체는 심각하게 찌그러져 있었다. 주변을 둘러보니 차 트렁크에 실려 있던 연장통이 유리를 뚫고 멀리 날아가 내동댕이쳐져 있었다.

"만일 저것이 차 안에서 돌아 머리를 쳤다면?"

또 하나 기적은 내가 운전석 옆자리에 앉게 된 사연이었다. 본래 인스부르크를 향할 때만 해도 나의 자리는 줄곧 안전벨트가 없는 뒷자리였다. 동행한 유학생이 운전석 옆에 앉아 교대 운전을 했기 때문이었다. 나는 돌아올 때도 당연히 뒷자리에 앉으려 했다. 그랬더니 그 유학생이 잠깐만 쉬고 싶다며 자리를 바꾸자고 했다. "그러면 다음 휴게소까지 그러자" 하고 자리를 바꾸어 앉았다. 그 유학생은 팔씨름으로 져 본 적이 없고 타이슨처럼 목이 굵은 근육질의 체구였다. 사고 직후 서

NACH EINEM REIFENPLATZER ÜBERSCHLAGEN hat sich gestern gegen 16 Uhr dieser Pkw aus Wien. Das Auto war auf der Inntalautobahn in Richtung Kufstein unterwegs, als bei Weer ein Reifen platzte. Wie durch ein Wunder wurde von den fünf Insassen – vier Erwachsene und ein Kind – nur eine Person leicht verletzt, die anderen blieben unverletzt. Es kamen keine weiteren Fahrzeuge zu Schaden. Auf der A 12 kam es gestern zu zahlreichen Serienunfällen. Foto: Birbaumer

실제 차 신부의 사고를 보도한 신문기사(Tiroler 신문, 1990년 10월 15일자)

로 생존을 확인할 때 그가 말했다.

"차가 구를 때 그냥 앞자리를 두 손으로 꽉 잡았어요."

그의 그 굵은 목은 약간 금이 가서 깁스를 해야 했다. 만일 자리를 바꾸지 않았다면 필경 나는 그 자리에서 즉사하였으리라. 그 다음날 지방 신문에 사고 난 차체의 사진이 크게 실렸다. 그 밑에 이렇게 적혀 있었다.

'기적을 통과한 네 사람.'

나는 그 사진을 지금도 가지고 있다. 그리고 그 사진은 나에게 무엇을 추구하며 살아야 할지를 상기시켜 준다. 지금도 확신한다. 나를 살려 준 것은 그때 머리를 스쳤던 바로 그 생각이었다.

"어, 난 할 일이 있는데. 아직은 때가 아닌데."

그렇다. 나에게는 할 일이 있다. 그것이 내가 하루하루 살아가는 이유다.[3]

할 일이 있다는 것.

그는 고통 속에서도 놓치지 않은 삶의 이유를 이 사고를 통해서 또 한 번 깨닫게 된다.

삶에 대한 감사와 자신이 해내야 하는 사명. 그것이 차 신부를 다시 일으킨 것이다.

고통을 대하는 자세

고통은 피할 수 있는 것일까?

그것이 피할 수 있는 것이라면 많은 사람들은 고통에서 해방됐을 것이다.

평생 그림자처럼 따라다닌 고통에 대해 차 신부는 어떤 생각을 갖고 있었을까?

좋은 뜻이 아무리 많다 해도, 막상 고통이 닥치면 피하고 싶은 것이 사람의 마음이다. 피하고 싶다고 피해지지 않으니 그 괴로움은 더 커진다.

그렇다면 고통을 어떻게 대해야 하는가?

최선의 선택은 고통의 피해자가 되는 것이 아니라, 고통을 감내하는 주체가 되는 것이다.

고통의 의미를 깨닫는 날 우리는 고통에서 도망치려 하기보다 오히려 고통을 동경하게 될지도 모른다. 조금만 더 깊이, 그리고 더 넓게 우

리의 삶을 되돌아보면 감사 거리를 찾는 일은 쉬워진다.[4]

고통을 대하는 차 신부의 자세는 결코 수동적이지 않았다. 오히려 그것을 감내하는 '주체가 됨'으로써 고통을 받아들일 수 있는 지혜를 일깨운다.

차 신부의 생각 속에서 그가 그동안 겪어왔던 수많은 고통을 떠올릴 수 있다. 그리고 그가 감내하는 주체로 거듭나기 위해 끊임없이 노력했음을 알 수 있다.

이런 노력은 그의 인생에서 고통이 주는 의미를 긍정적으로 받아들인 첫걸음이 아니었을까.

풀리지 않는 문제

'희망의 멘토'로 유명했던 차 신부 곁에는 항상 사람들이 끊이질 않았다.

그들은 삶에서 오는 근원적이며, 풀리지 않는 수많은 문제들에 관한 질문을 쏟아 냈다.

"하느님, 왜 저는 고통 속에 내버려 두시고 옆에 있는 사람은 편하게 해 주십니까?"

"신부님, 저도 이제 지쳤어요. 왜 저한테는 시련이 끊이질 않나요?"

이런 사람들의 질문 앞에 차 신부는 어떤 대답을 내놓았을까.

물론 충실한 신앙인이었던 그가 교우들에게 한 대답은 신앙적인 위로와 힘을 주곤 했다.

이는 그 사람 수준이 그만큼이기 때문에 맞춰 주시는 것이다. 하느님은 영성이 깊은 사람일수록 고통 속에 두게 하시는 것이다. 그러니 삶

에서 고통을 많이 느끼는 독자가 있다면 '내가 영성이 깊구나' 하고 생각하기 바란다.[5]

"하느님께서 자매님을 너무나 사랑하시네요. 딴 사람은 그래도 한눈파는 거 용납하시는데 자매님이 한눈파는 거는 싫으신가 봅니다. 매 순간 당신께서 자매님을 그토록 원하시니까요."

우리는 기억해야 한다. 시련이 끊이지 않는다면 하느님께서 '나'를 조금 더 특별히 사랑하고 계시다는 것을.[6]

그러나 차 신부에게도 '고통'에 관한 답변은 쉬운 일이 아니었다.

2012년에 저술한 『잊혀진 질문』 이후, 한 언론매체와 인터뷰한 내용에서 고통에 관한 그의 솔직한 생각을 들을 수 있다.

답을 몰라서가 아니라 답이 있어도 설득이 안 되는 경우가 있는데 '고통'의 문제가 바로 그렇다. 처절한 고통의 중심에 있는 사람을 위로해 주기란 사실 불가능하다. 모자라는 정보는 지식으로 채울 수 있으나 우리의 고통은 바로 실존을 건드리는 문제다. 위로와 용기를 준다 해도 고통의 당사자에겐 미화에 그칠 수 있다.[7]

누구보다 고통을 뼈저리게 체험했던 그는 누군가의 고통을 위로해 준다는 것이 얼마나 어렵고 힘겨운 것인지 알고 있었다. 심지어 자신이 처절한 고통 속에서 깨달은 그 해답도 다른 이들의 고통 앞에선 얼마나 무력한지를 그는 고백한다.

허나 이것이 지금 현재 고통을 겪고 있는 사람들에게 훌륭한 답변을 줄 수 있는 조건이 되지는 않는다. 왜? 고통의 의미 그리고 고통당하는 이를 위한 위로, 이들 사이는 설명으로 전달되는 것이 아니기 때문이다.

그러기에 사람들이 나에게 고통의 의미를 물어올 때, 나는 심한 무력감에 휘둘리곤 한다. 할 말이 없어서가 아니라 아픔이 느껴져 와서!

하지만 그는 이런 무력감에서 하나의 깨달음을 발견하게 된다.

그것은 고통 속에 있는 사람과 함께 그 고통을 아파하는 것이다.

맞다. 누군가가 고통의 문제에 답을 청해 올 때, 정답을 말해 준다고 고통이 없어지진 않는다. 희한하게도 고통은 멋지게 설명될 때 해소되는 것이 아니라, 함께 아파할 때 절감되는 것이다. 사랑이 고통을 분담해 주기 때문이리라.

더 나아가 차 신부는 고통의 가치에 대한 새로운 해석을 주고 있다.

그래서인가, 우리시대의 삶의 주제를 폭넓게 사유했던 작가 최인호는 이렇게 말한다.

"지금 내가 행복을 느끼고 있다면, 그것은 어디서 누군가가 겪고 있는 고통 덕이다. 현재 내가 누리고 있는 안락 역시 지구 저편 누군가의 통절한 아픔에 빚지고 있는 것이다."

옳은 말이다. 우리는 이 말을 경제관계에서 이해할 수도 있고, 연대감의 측면에서 알아들을 수도 있다. 여하튼, 나의 고뇌, 나의 땀과 수고 덕에 누군가가 살고, 또 누군가 이름 모를 이의 처절한 번뇌 덕에 내가 사는 것이다. [...]

그렇다면, 고통을 겪고 있는 당사자가 바로 희망의 서광인 셈이다.

그렇다. 내가 겪고 있는 고통은 내가 동의하건 말건 이미 지구상 어느 누군가에게 선익을 끼치고 있는 것이다. 너의 고통이 우리의 희망이다.[8]

고통에 관해 비록 명쾌한 해답과 조언을 주지는 못할지라도, 고통이 주는 의미를 연대성 안에서 발견할 수 있다는 해석은 적어도 고통을 어떻게 받아들여야 하는지 그 실마리를 우리에게 제공하는 것이 아닐까.

절망 극복법

많은 사람들이 고통 속에서 좌절하고 절망한다.

단지 나약해서 그럴까. 아니다. 그들도 최선을 다해 고통에서 벗어나려고 노력했을 것이다.

그러나 앞이 쉽게 보이지 않는다. 그래서 절망이라는 늪에서 허우적거리기도 한다.

이런 절망에 대해 차 신부는 어떤 생각을 갖고 있었을까?

일찍이 철학자 키에르케고르는 "절망이야말로 죽음에 이르는 병"이라고 간파하였습니다. 정곡을 찌르는 말입니다.

[...] 나는 그의 말에 100% 동의합니다. 사실이지 얼마나 많은 사람들이 절망으로 인해 인생을 망치고 있으며 또 소중한 생명까지 잃고 마는가요. 아무리 현실이 어렵더라도 절망이라는 죽을병에는 걸리지 말아야 합니다.

키에르케고르와 비슷한 통찰을 20세기 미국 문학을 대표하는 소설가 존 스타인벡이 보여주고 있습니다.

"인간은 영혼이 슬프면 병균에 의해 죽는 것보다 더 빨리, 훨씬 더 빨리 죽게 된다."

[...] 하나는 철학자의 언어고, 다른 하나는 문학가의 언어라는 차이가 있을 뿐! 영혼의 슬픔, 그것은 절망과 한통속입니다. 비극적인 것은 바로 이러한 영혼의 낙심은 어떤 강력한 바이러스보다 더 치명적이라는 사실!

절망의 심각한 증세는 쉽게 치유되기 어렵기 때문에 강력한 처방이 필요하다.

그 처방을 차 신부는 그가 평생토록 강조한 '희망'에서 발견한다.

이 대목에서도 이치를 터득하면 방법이 보입니다. '희망은 절망을 몰아낸다'는 원리를 알면 절망은 쉽게 퇴치됩니다.

절망감이 엄습할 때 절망을 상대로 씨름을 해 가지고는 절망을 벗어나지 못합니다. 하지만 절망이 밀려올 때 절망을 보지 않고 희망을 붙들면 절망은 발붙일 틈이 없게 됩니다.

이 현상을 어떻게 설명할 수 있을까요. 우리는 이를 '대체의 법칙'으로 밝힐 수 있습니다. 심리학에 기초를 둔 이 원리는 말하자면 이렇습니다.

"사람의 뇌는 동시에 두 가지 반대 감정을 가질 수 없다. 곧 사람의 머리에는 오직 한 의자만 놓여 있어서 여기에 절망이 먼저 앉아버리면 희망이 함께 앉을 수 없고, 반대로 희망이 먼저 앉아버리면 절망이 함께 앉을 수 없다는 것이다."

이 법칙을 올바로 깨닫기만 해도 우리는 절망을 쉽사리 대적할 수 있습니다. 내가 불안해 하고 있는 동안에는 나에게 평화가 올 수 없습니다. 내가 평화를 선택하면 불안이 들어오지 않습니다. 의자는 하나입니다. 절망하고 있을 땐 희망할 수 없습니다.

차 신부는 절망에 대한 처방으로 '대체 법칙'을 발견했다. 절망이 밀려올 때, 그것만 바라보고 있지 않고 그와 반대되는 '희망'을 붙잡으려고 노력하는 것이 이 법칙의 원리다.

그는 실제로 자신이 유년시절 동안 겪었던 시련을 이 법칙으로 극복했다.

유년 시절 어머니와 함께

나는 그때 '절망'이라는 단어를 몰랐습니다. 왜? 나는 꿈에 부푼 소년이었기 때문입니다. 아직 그 이후까지는 내다보지 못했지만, 열심히 일해서 고등학교, 그리고 형편이 더 좋아지면 대학교엘 가리란 희망이 내 가슴을 꽉 메우고 있었던 것!

결국 많은 것을 감당하기 어린 나이였음에도 희망이 '100'이었기에 절망이 '0'일 수밖에

없었던 것입니다.[9]

우리는 이 시점에서 차 신부가 정의한 절망에 대해 다시 한 번 상기할 필요가 있다.

절망이 무엇인가. 더 이상 바라보지 않는 것이 절망이다. 한자어로 절망(絕望)은 바라보기(望)를 끊는 것(絕)을 가리킨다. 맞다. 바라봄을 끊는 것이 절망이다. 더 이상 바라보지 않는 것이 절망이다. 꿈을 꾸지 않는 것이 절망이다. 눈감아 버린 것이 절망이다.[10]

그렇다. 더 이상 바라보지 않는 것, 곧 희망이 없는 것이 절망이다.

그러므로 절망을 없애려고 하지 말고 희망을 붙잡으십시오. 절망하고 싸우지 마십시오. 자꾸 희망을 가지십시오. 이루어지든지 말든지 계속 좋은 것을 상상하십시오. 그러면 됩니다. 연거푸 희망을 품는 것이 절망을 몰아내는 상책입니다. [...]
어둠을 몰아내는 것이 빛이듯이, 절망을 몰아내는 것은 바로 희망이랍니다.[11]

우리가 겪고 있는 고통과 절망 속에서 다시금 희망을 일깨우는 것, 이것이 차 신부가 우리에게 주는 절망 극복법이다.

나란 사람은?

엄청난 고통과 시련 앞에서 존재가 무너지는 체험을 하곤 한다. 그리고 묻는다.

'나란 사람은 어떤 사람일까...?'

때로는 자존감이 나락으로 떨어져 한 가닥 남아 있던 내 존재의 숨결도 잘 느끼지 못할 때도 있다. 그러나 존재의 소중함을 무엇으로 대신할 수 있을까.

누구에게나 존재 이유와 목적이 있다. 거창하지 않아도 누구에게나 하늘이 내려준 사명도 있다고 해야 맞을 것이다. 그러므로 좌절이나 시련의 무게가 자신의 어깨를 짓누를 때 한번쯤 스스로에게 물음을 던져 보는 것도 하나의 출구가 될 수 있다.

"대관절 이 시련은 나에게 어떤 이익을 가져다줄 것인가?"[12]

존재의 이유.

아직 선명하지 않더라도 분명 누구나 존재 이유는 있다.

어쩌면 인생은 그 의미를, 맡겨진 사명을 찾아가는 과정이 아닐까.

차 신부는 자신의 이름을 통해 자신의 존재에 접근했다.

나는 이름에 관심이 많다. 그래서 한자와 소리글자의 파동으로 이름 짓는 방법을 배웠다. 가족이나 친지들이 작명을 청해올 때면 물론, 상호명 내지 기업의 이름까지도 지어주곤 했다. 이름을 지을 때 나는 특히 이름이 갖는 의미에 방점을 둔다. 내 이름이 갖는 의미가 나의 무의식에 영향을 제법 끼쳤기 때문이다.

내 이름의 의미를 본격적으로 의식하게 된 것은 유학시절 나를 소개할 때부터였다.

"내 이름은 '동엽', 성은 '차'야"라고 첫인사를 하면, 그 다음의 반응은 한결같았다.

"똥유-ㅂ? 그게 무슨 뜻이지?"

"동녘 동, 빛날 엽, 그러니까 동쪽의 빛이라는 뜻이지. 결국 태양을 뜻해."

이렇게 이름풀이를 해 주다 보니 절로 '동쪽의 빛'이라는 자의식이 내 안에 틀을 잡기 시작했던 것이다. 모르긴 모르되 이 자의식은 지금까지 건강하게 나를 동행해 주었고, 이윽고 사명감으로도 굳혀졌다.

'나'라는 존재의 의미는 이처럼 이름을 통해서 제일 먼저 형성된다.

의미는 언어를 통하여 탄생한다. 아직 언어화 되지 않은 의미는 엄마 배 속에 있는 태아와 같은 처지다. 생명으로 존재하기는 하지만, 미처 태어나지 않은 생명인 것이다.[13]

차 신부는 이름이 갖는 놀라운 신비를 알려준다. 이름이 갖는 의미를 발견하는 과정에서 자신의 존재 의미와 그 사명까지도 의식에 영향을 준다는 것이다.

이제 나에게도 물어보자.

'나의 이름은 무엇인가.

그리고 나는 내 존재를 잘 알고 있나.'

인생의 소중함

차 신부는 신학교에 입학하기 전 서울대학교 공과대학에서 공부한 공대생이었다. 그런 그가 사제가 되어 세상에 내놓은 책은 신학 서적이면서, 동시에 사람들에게 희망을 주는 인문학적 서적이었다.

그럼 그가 학창시절 관심을 가졌고 진짜 궁금하게 생각했던 것은 무엇이었을까?

1970년대 말, 대학생 시절 나는 개똥철학에 탐닉했다. 그 당시 학생들은 소설과 시를 좋아했다. 고민 꽤나 하는 학생들의 가방 속에는 철학적 담론이 진지한 필체로 소곤대는 문고판 책들이 한두 권 들어 있었다.

나는 공대생이었지만 전공에만 몰두하는 친구들이나 시간 나면 주로 당구장에 드나들던(섭섭해 하지 마시길!) 친구들보다 인문 서적을 좋아하는 친구들과 어울리기를 즐겼다. 학과 공부도 중요하나 인생공부 역시 소홀히 여길 수 없다는 직관에서였던 것 같다. 지금에 와서 돌이켜보면, 그때 읽었던 책들이 은연중에 위기국면을 극복하는 내공을 형성해 주었다는 생각이 든다.

그렇다. 삶의 중심이 심하게 흔들릴 때는 '전략'이나 '기법'에 치중한 자기계발 서적보다 인간 존재를 심층적으로 고뇌하면서 독자 스스로의 성찰과 사색에 길잡이가 되어주는 인문 서적이 더 큰 도움이 될 수 있다.

나의 경우, 소설에서는 인간 존재의 다양한 스펙트럼과 풍부한 문제의식을 접했고, 철학 서적에서는 빈틈없이 사유하는 법을 배웠고, 시에서는 인간 본질의 핵심 인자들을 건졌다.

그 시절 나는 영어를 배울 겸해서 에리히 프롬의 저술들을 밑줄쳐가며 원서로 읽었다. 그는 내게 인생의 소중함, 불가침의 인간 존엄성에 대한 깨우침을 주었다. 그는 말한다.

"사람의 한 생애는 그 어느 것과도 바꿀 수 없는 선물이며, 뜻 있는 도전이다. 따라서 그것은 다른 무엇으로도 측정될 수 없는 고유한 것이다."[14]

결코 놓쳐서는 안 되는 인생진리를 그는 말하고 있다. 인생은 다른 무엇으로도 측정될 수 없는 고유한 것! 이를 깨닫는다면, 우리는 어떤 어려움도 스스로 극복할 수 있을 것이다. 그러고 보면, 자신의 소중함에 대한 확신도 두둑한 맷집의 기본이라 할 수 있다.[15]

삶의 고통과 고뇌 속에서 인간 삶이 주는 의미를 발견하고자 노력했던 그의 삶의 태도에서 앞의 질문에 어느 정도 답을 찾을 수 있게 되었다.

그것은 인생 고수에게서 답을 얻으려는 것.

이 과정에서 그는 자신의 삶을 더욱 사랑했을 것이고, 그 답에서 인생의 소중함을 얻게 됨을 알고 있었던 것이다.

나는 나

우리는 타인의 시선을 의식하느라 피곤하게 살고 있지는 않을까?
물론 그것을 별로 중요하게 생각하지 않는다면 괜찮겠지만 쉽지만은 않다.

누구보다 대중의 시선과 기대를 한몸에 받았던 차 신부는 자신에게 집중된 시선들 속에서 어떻게 살아왔고 생각했을까? 그의 유학생활 체험을 통해 그가 가진 생각을 조금은 엿볼 수 있을 것이다.

나는 비엔나 유학생활을 통해 '나는 나다'라는 사실을 새삼 깨달았다.
그곳 친구들과 어울리면서 나는 그네들이 남들이 자신을 바라보는 시선에 별로 개의치 않는다는 것을 금세 알아챘다. 그들은 자신의 생각을 표현하는 데 주저함이 없었다. 그것이 튀는 생각이건, 버릇없는 발상이건, 전체 여론에 반하는 의견이건, 그런 것은 전혀 중요치 않았다. 이 깨달음은 나에게 엄청난 해방감을 주기 시작했다. 내가 그동안 한국 사회에서 익숙하게 훈련받았던 집단가치관에 적응하기가 더 이상 필요 없어졌다! 지난날 은근히 억압받았던 '나는 나다'라는 인식이 살금살금

되살아났다.

이렇게 유학의 햇수가 늘어날수록 나는 점점 큰 자유를 누리게 되었다. 상대방의 주장과 견해를 존중해 주는 문화 속에서 긍정적인 자신감도 생겼다. [...]

남의 시선이 아니라 자신만의 시선을 갖고 집중하는 것. 차 신부는 자신을 소중히 여기는 방법이란 또 하나의 열쇠를 찾게 되었다.

그리고 우리에게도 이 깨달음을 공유하고 있다.

이제라도 우리는 더 이상 남의 시선에 의해 억압받지도, 자신의 관점을 남에게 강요하지도 말아야 한다. 어차피 인생을 사는 것은 '나' 자신이다. 다시 '나'를 찾자. '나'는 소중하다. '나'는 이 세상에 하나밖에 없는 존재다. 이 사실 하나만으로도 우리 각자는 매우 대단하다.[16]

인생찬가

차 신부는 자신의 인생철학에 대해 무엇을 말하고 싶었을까?

2011년에 방영된 KBS1 방송프로그램인 〈낭독의 발견〉에서 차 신부는 자신의 인생철학과 통하는 시 한 편을 소개한다.

인생은 한낱 헛된 꿈이라고
내게 슬픈 노래랑 부르지 말라!
잠자는 영혼은 죽은 영혼
사물은 보기와는 다른 것.
[...]

예술은 길고 세월은 덧없어라.
우리의 가슴은 든든하고 용기로 차 있으나
감싸인 북처럼 무덤을 향해
오늘도 장송곡을 울리고 있도다.

이 세상의 넓은 싸움터에서

인생의 야영장에서
그대 말없이 쫓기는 가축의 무리가 되지 말고
싸움에 앞장서는 영웅이 되어라!
[...]

– H.W. 롱펠로의 〈인생찬가〉 중에서

차 신부는 이 시를 좋아하는 이유를 다음과 같이 말하고 있다.

내가 이 시를 특히 좋아하는 까닭은, 옥토가 아니라 척박한 황무지에서 움튼 시이기 때문이다.[17]

시를 좋아하는 차 신부는 이 시를 통해 자신의 삶을 되돌아봤을 것이다.

척박한 황무지 같았던 자신의 인생 고통 속에서 의미를 찾으며, 앞으로 굳세게 나아갔던 삶의 정신을 그는 이 시에서 찾아내지 않았을까.

맺집

인생의 역경 속에서 각 세대가 느끼는 온도차는 존재한다. 물론 사람에 따라 다를 수 있지만, 차 신부는 이 현상을 다르게 접근한다.

차 신부는 2012년 말 모 인터넷 방송 대담식 강의에서 20-60대의 방청객들에게 시련에 대해 말한 적이 있다. 그는 같은 시련도 5060세대는 비교적 무덤덤하게 잘 견디지만, 2040세대에게서는 상대적으로 신음소리가 크게 들려오는 것 같다고 말했다.

그리고 방청객에게 질문 하나를 던졌다.

왜 이런 차이가 생기는 것일까요?

선뜻 대답을 내놓지 못하는 그들에게 그는 이유를 설명했다.

바로 내공과 면역력의 차이 때문입니다.

그리고 다음과 같이 부연설명을 했다.

어려운 시대환경에서 태어나 온갖 역경을 다 겪어본 5060세대는 그 과정에서 고통에 대한 면역력이 생기고, 그것을 견뎌내는 내공이 있습니다. 반면에, 2040세대는 성장 배경이 훨씬 수월해져 면역력도 내공도 부족한 듯 보입니다.

이것을 듣고 있던 한 젊은이가 차 신부에게 무엇을 해야 하는지에 대한 방법론적인 질문을 했다.

차 신부는 논리적인 설명 대신 다음과 같이 체험에서 우러나온 말로 그에게 답했다.

맷집을 키우세요. 그러면 됩니다. 직장이나 사회에서 이리 터지고 저리 터지지 않습니까. 안 맞을 방법이 없습니다. 세상 일이 호락호락하지 않으니까요. 근데, 내가 보니까, 요즘 젊은이들에게 필요한 건 바로 맷집인 것 같아요. 한마디로 욕도 잘 먹고 야단도 잘 맞아야 합니다. 여기서 '잘'이라는 말은 상처받지 말라는 말입니다.[18]

의외의 답변이다. '맷집'

그는 처절하게 고통과 싸웠던 지난 시간 속에서 누구보다 맷집으로 버텼던 사람이었다. 세상의 고난과 시련을 이성으로만 받아들이기에는 삶이 그렇게 호락호락하지도 않고 쉽게 답을 얻기도 어렵다.

그래서 차 신부는 몸이 기억하는 방법인 맷집을 젊은 세대에게 해법으로 제시했다. 그 또한 맷집에서 나오는 힘을 누구보다 믿고 있지 않았을까.

시련을 이기는 길

무언가를 이루는 데에는 대가가 따르기 마련이다. 그리고 생각만큼 쉽지 않은 삶의 여정 속에서 자신의 꿈을 이루기 위해서는 '시련'과 필연적으로 마주하기도 한다. 시련 속에서 힘겨워할 때, 아무리 노력해도 내가 꿈꿔온 삶과 정반대로 흘러갈 때 차 신부는 무엇이라 말했을까?

역사의 수많은 사례를 보면 '꿈은 반드시 이루어진다'는 결론에 도달하게 됩니다. 하지만 거기에는 '시간'이라는 변수가 들어가 있습니다. 다른 것은 사람의 손에 달려 있지만, 시간만은 어쩔 수 없습니다. 그러므로, 앞길이 막막해 보일 때, 우리에게 요구되는 것은 이루어질 때까지 버티는 것입니다. 답은 '버티기'입니다.

시련을 이기는 길은 그것을 인내로 버티는 것이다.[19]

차 신부는 꿈을 이루는 여정 속에서 반드시 갖추어야 할 것을 '버티기'로 보았다. 버티기란 차 신부에게 중요한 화두였다. 왜냐하면 그 또한 삶의 고난 속에서 이 버티기 영성으로 희망을 잡았고, 그로인해 꿈을 향해 나아갈 수 있었기 때문이다.

황소걸음

차 신부는 시련을 극복하고 자신의 꿈으로 나아가는 데 있어 버티기만을 제시하지는 않았다.

사실 나는 건강한 체질이었다. 하지만 어린 시절 쌀과 연탄 배달로 인해 척추가 휘어 간 기능에 장애가 와서 지금은 피로 회복 기능이 좀 떨어지는 편이다. [...]

하지만 그때 지게를 지고 연탄배달을 한 것이 나에게 엄청난 내공을 키워준 것은 부인할 수 없다. [...] 나는 성질이 급하다. 그런데 성질이 급한 사람치고 걸음 하나는 '황소걸음'이다. 일단 뛰기 시작하면 기민한 편이지만, 걸음새 하나는 느리다.

이는 당시의 걸음새가 지금까지 몸에 밴 까닭이다. 나는 그때 연탄과 쌀을 등에 지고 있었기 때문에 늘 걸음걸이가 황소걸음일 수밖에 없었다.

지금 나에게 황소걸음은 큰 장점으로 작용한다. 그 황소걸음이 바로 인내심과 추진력의 원천이 되고 있으니 말이다. 나는 황소걸음이 좋다.[20]

차 신부는 아주 느릴 수도 있고 미련해 보일 수도 있지만, 인내심을 갖고 앞으로 나아가는 '황소걸음'을 좋아했고 이를 시련을 위한 해법으로 제시했다.

그는 그 복된 걸음 속에서도 결코 꿈을 놓치는 법이 없었다. 오히려 황소걸음 속에서 꿈을 꾸는 기쁨을 느끼지 않았을까.

화를 다스리는 법

고통과 시련을 이겨내는 일이 어찌 쉬울까.

그 과정에선 감정의 기복도 반복적으로 일어난다. 특히, '화'라는 것이 발생하게 되었을 때, 그동안 자신 안에 공들여 쌓아올린 탑이 와르르 무너질 수도 있다.

많은 사람이 차 신부에게 화에 관해 질문했다.

"화가 치밀 땐 어떻게 해야 하죠? 별별 방법을 다 써 봐도 잘 안 되거든요?"

차 신부의 대답은 간단했다.

"화낼 일을 만들지 마세요. 그게 상책이죠."

이 대답을 잘못 들으면, 득도한 사람의 대답이거나 자칫 화를 더 불러올 수 있겠다는 생각을 갖게 된다. 그러나 차 신부는 이에 자신의 체험에서 비롯된 생각을 덧붙인다.

방금 소개한 것은 실제로 내가 쓰는 방법입니다. 이는 매뉴얼이 아니라 나름의 지혜입니다. [...] 그 핵심은 이것입니다.

"그 무엇도 '내 허락' 없이는 나를 불행하게 만들 수 없다."

이 한 문장이 나에게는 모든 감정의 문제를 처리하는 마스터키입니다.

여기 내 눈 앞에서 사람들이 불행으로 간주하는 일들이 일어나고 있다고 칩시다. [...] 설령 이런 일들이 나에게 닥쳐왔다 해도 나에게는 아직 '선택'의 권리가 남아 있습니다. 그것을 불행으로 여길 것인가, 아니면 여전히 긍정의 문을 열어둘 것인가? [...]

분노도 화도 마찬가지입니다. 여기 누가 나에게 화나게 하는 행동을 합니다. [...] 하지만 다행스럽게도 그런 행동은 일단 '판단'이라는 첫 번째 관문을 통과한 후 '선택'이라는 두 번째 관문을 통과해야 내 안에서 '화'를 일으킬 수 있습니다. 이 점을 놓쳐서는 안 됩니다. 이때도 나는 순간적으로 자신에게 말해줍니다.

"나는 저 사람의 저 행동이 나로 하여금 화나게 하도록 '허락'하지 않노라. 내가 왜 그 행동 때문에 '화'를 내서 나의 소중한 하루(어쩌면 이틀, 어쩌면 평생)를 망쳐야 한단 말인가. 화내는 것은 나의 의무가 아니다."

쉽지 않은 일이겠지만, 화가 나는 상황에서도 '생각의 전환'이 가져다주는 효과를 차 신부는 적극적으로 활용한다. 결국 화를 내는 주체는 본인이기 때문에 이것을 제어하는 것도 자신에게 달려 있다는 것이다.

이어서 그는 화가 자신에게 주는 폐해와 분노에 사로잡히지 않기 위한 해법을 소개한다.

자신에게 치명상을 입히는 나쁜 감정을 피하는 최상의 지혜입니다. 나는 조그만 분노에 집착하여 일생을 망치는 경우를 수없이 보아왔습니다. 일단 분노의 감정에 사로잡히면 최소한 몇 시간, 또는 운 좋으면 며칠 동안 속을 끓이게 마련입니다. 이것은 엄청난 손해입니다. 그러므로 할 수 있다면 애초부터 '분노' 또는 '화'라는 감정이 생기지 않도록 미연에 막아내는 것이 바람직합니다.[21]

긍정의 힘

생각의 전환이 필요한 때가 있다. 그때란 부정적인 생각이 엄습해오는 때를 말한다.

물론 이것을 결정하는 것은 본인의 몫이다.

긍정적인 생각이냐, 아니면 부정적인 생각 속에 머무느냐.

차 신부는 이 두 가지 측면에서 나타나는 사고방식의 차이점을 다음과 같이 말하고 있다.

생각은 밖으로 투사된다. 속으로 뒤틀려 있는 사람에게는 불평거리만 보이고 쓰레기만 눈에 띈다. 반면에 긍정의 사고방식으로 보면 세상은 온통 아름다움의 향연이다. 절망 속에서도 희망이 클로즈업된다.

인간관계에서도 똑같다. 마음이 비뚤어진 사람은 상대방 안에서 허물만을 본다. 하지만 속이 깨끗한 사람은 상대방 안에서 결국 좋은 것을 본다.[22]

생각의 차이는 분명 한 사람의 인생을 바꿔 놓을 수 있다. 그만큼 생각이 가진 힘이 크고, 긍정이 가진 놀라운 에너지가 있다.

그러나 긍정적인 생각을 키워나가기 위해 필요한 것이 하나 있다.
차 신부는 이것을 '결'이라 표현한다.

> 한두 번 상황이 좋을 때 긍정적으로 생각하는 것은 그리 어려운 일이 아니다. 그러기에 더욱 값진 것은 극단적으로 부정적인 상황에서도 발휘되는 긍정적 발상이다. 이런 경지의 긍정적인 생각을 할 수 있으려면, 생각의 지대에 '결'을 내야 한다.
> '결'은 무엇인가? 결은 일정한 흐름의 패턴이다. [...] 이런 결은 어떻게 해서 형성되는가? '반복'을 통해서다. 그런데 '결'은 일단 형성되고 나면 '길'의 역할을 한다. 외부의 변수를 자신의 결을 따라 유인하여 '그렇게 흐르도록' 또는 '그렇게 진행되도록' 작용한다는 말이다. 생각에도 결이 있다. 반복의 과정을 통해서 어느새 자신의 생각에 결이 난다. 어떤 이에게는 부정적인 쪽으로, 어떤 이에게는 긍정적인 쪽으로, 이렇게 '결'이 나서 결국 '길'이 생긴다.[23]

생각의 결을 통해 길이 형성된다는 것은 놀라운 깨달음이다. 숱한 어려움을 겪은 차 신부가 과연 많은 부정적인 생각이 자신을 지배하려 한다는 걸 느끼지 못했을까.
그러나 긍정의 생각이 몸에 밴 그에게 이 습관의 힘은 하나의 결이 되었고, 그것을 통해 '길'을 보게 된 것이다.
그 결은 그에게 부정적인 생각이 침범하지 못하게 하는 일종의 보호막으로 작용한 게 아니었을까.

긍정운동

차 신부는 사람들에게 그의 대표적인 저서 『무지개 원리』(2006)를 통해 긍정의 힘을 강조했고 행복과 성공에 대해 설명했다.

그가 말하는 행복과 성공이란 무엇일까?
또한 평생 사제로 살아온 그가 사람들에게 들려주고 싶었던 것은 무엇이었을까?

'무지개 원리'의 첫째는 "긍정적으로 생각하라"며, 전체 기조 정신은 비전과 희망과 꿈이다. 이를 붙들고 사는 사람들이 결국에는 행복을 이루고, 성공을 이루게 된다는 법칙성을 무지개 원리가 체계화한 것이다.
그런데 내가 무지개 원리를 이야기하고 다니는 동안, 재미있는 일들이 생겼다. 우리 국민들에게 행복과 성공을 위한 방법을 제시했더니, 교회 안에서 부정적인 관점을 가진 사람들이 나에게 시비를 건 것이다. "성직자가 되어 가지고 맨날 행복과 성공에 대해서만 얘기하는 것이 과연 옳은 일인가?"
이 대목에서 우리는 잘 생각해 보아야 한다. 나는 행복하게 살고 성

2007년 KBS 프로그램 〈여성공감〉에서 '무지개 원리'를 강의하고 있는 차 신부

공하는 삶을 사는 것을 세상의 관점으로 이야기하지 않았다. 흔히 세상 사람들이 말하는 돈 많이 버는 것, 권력을 가지는 것을 강조하지 않았다. 오히려 나는 진짜 성공이 무엇인지, 진짜 행복이 무엇인지 우리 주변에 있는 것들에서 발견해 보자고 이야기한 것이다. 사람들이 눈을 뜨도록 도와준 것이다. 그래서 '긍정운동'을 하는 것이다.

나도 옛날에 똑똑했던 시절이 있었다. '비판운동'을 할 때였다. 그 당시 내 눈에도 아주 못된 것들이 많이 보였다. 나라도 못됐고, 교회도 못됐고, 사람도 못됐고, 모든 것이 못돼 보였다. 그래서 다 뜯어고쳐야 한다고 생각했다. 그런데 이러한 생각들이 세상을 바꾸지 못한다는 것을 깨달았다. 오히려 긍정적인 대안만이 세상을 바꾼다는 것을 문득 알게 되었다.

이는 주님의 방법이었다. 주님께서는 부정적인 안목을 가진 사람들과는 위대한 변화를 꾀하려고 하지 않으신다. 그런 사람들을 데리고 일하지 않으신다. 긍정적인 관점을 가진 사람하고 일하기를 좋아하신다.[24]

사제로 살아왔던 차 신부의 삶에서 진짜 성공과 진짜 행복에 대한 가치는 혼자만 누리고 간직할 수 있는 성질의 것이 아니었다. 그 가치는 알려야만 하는 것이었고 함께 나눠야만 하는 것이었다.

왜냐하면 그는 '긍정운동'이 낳은 힘을 신앙적 관점으로 바라보았고, 이러한 운동 속에서 자신이 평생 믿고 따른 주님의 뜻이 있음을 확신했기 때문이다. 그것은 결코 부정적인 생각으로 이루어질 수 없음을 그는 깨달았다. 그래서 '긍정운동'이라는 획기적인 변화가 필요했던 것이다.

이런 긍정의 힘은 그에게 고통과 시련 속에서 희망으로 나아가게 하는 그리고 희망 안에서 버틸 수 있는 강력한 무기로 작용했던 것이다.

제 2 장

믿는 대로

주님의 기도

사제성소의 뜻을 갖기 전 차 신부가 갖고 있던 신앙은 어떠했을까? 그가 들려주는 '주님의 기도' 체험을 통해 이를 조금은 엿볼 수 있다.

나도 '주님의 기도'가 지닌 힘을 체험한 적이 있다. 한창 젊었을 때 성소를 받기 전이었다. 나는 어떤 집을 방문하게 될 때, 그 집의 영적 분위기에 따라 신고식을 톡톡히 치르곤 했다. 미신을 믿는 집에서 잠을 잘 경우, 반드시 꿈에 흉측한 것이 나타나 나를 괴롭히는 것이었다.

그날은 마침 이사한 첫날밤이었다. 잠을 자는데 갑자기 느낌이 서늘해지고 이상한 것이 보였다. 아직 신앙이 시원찮을 때라 순간 무서운 느낌이 온몸을 감쌌다. 그때 아는 것은 다행히(?) 주님의 기도뿐이었다. 벌떡 일어나 앉아 주님의 기도를 힘차게 되뇌니 주변의 기분 나쁜 냉기가 사라지고 안온한 기운이 감도는 것이었다. 하느님의 임재가 온 방안을 채웠던 것이다.

이런 일은 한두 번 겪은 일이 아니었다. 이렇듯이 '주님의 기도'에는 상상치 못했던 힘이 있다.[1]

낯선 공간에서 '영적 분위기'를 감지하고 꿈에 나타난 어떤 괴롭힘과 싸운다는 것은 보통 쉬운 일이 아니다. 차 신부는 젊은 시절부터 이러한 영적 감수성과 신앙심을 지녔던 것으로 여겨진다.

비록 당시 그것을 이길 수 있는 방법을 주님의 기도에서만 찾을 수 있었지만, 그에겐 기도문이 가진 놀라운 힘을 체험하는 소중한 기회였다.

그 체험은 주님의 현존을 체험하는 영적 체험이었다.

그분의 이름

차 신부가 평생을 증언한 분이 있다.

그분은 '예수님'이다.

그는 아직 신앙적으로 성숙하지 못했던 시절부터 예수님의 이름이 지닌 힘을 분명히 체험한다.

나의 아버지는 내가 대학교 1학년이었을 때 돌아가셨다. 돌아가시기 전 병원에서 가망이 없다는 이야기를 듣고 우리 가족은 아버지를 앰뷸런스에 태워 집으로 모셔오기로 했다. 그런데 당시 종부성사를 주러 오셨던 사제께서 나의 가족들한테 이렇게 일러주셨다.

"앰뷸런스에서 그냥 가지 말고 옆에서 같이 이름 딱 세 개를 계속 부르면서 가세요. '예수, 마리아, 요셉. 예수, 마리아, 요셉……' 하고 말입니다. 그래야지 마귀가 영혼을 도둑질하지 않아요. 마귀가 범접하지 못하고 이 영혼이 곱게 하늘로 가시는 거예요."

그때 나는 신앙에 대해서 별로 아는 바가 없었다. 그렇지만 사제의 그 말씀은 기억 속에 늘 생생히 남아 있다. 물론 그 말씀은 사실일 것이다.

우리가 예수님의 이름을 부르면 틀림없이 그 이름 자체가 예수님의 존재를 불러오기 때문에 마귀가 범접할 수 없게 되는 것이다.[2]

아버지 임종의 위급한 상황 속에서 그가 부르게 된 이름은 '예수님'이었다.

그는 그렇게 체험한 예수님을 평생 마음에 모시게 되었고, 그분의 이름에 희망을 두게 되었다.

부르심

차 신부는 대학시절 인생에 대해 숙고하면서, 자신이 원하는 삶에 대한 깊은 고민에 빠지게 된다.

'내가 진정 원하는 것은 무엇일까, 어떤 길을 가야 할까?'

조금씩 천천히, 하지만 때로는 그의 가슴을 요동치게 하는 '주님의 부르심'(성소)을 체험하게 된다.

차 신부는 자신이 받은 사제성소에 대해서 이렇게 말하고 있다.

성소를 고민하던 중에 하느님의 사랑이 나를 덮쳤다.

"성경을 펼칠 테니까 '너 신부되라'라는 뜻의 구절이 나오면 신학교에 들어가고, 그렇지 않으면 들어가지 않겠습니다."

나는 이렇게 기도하고 성경을 딱 펼쳤는데 루카 복음 19장, 예수님께서 예루살렘 성전 밖에서 예루살렘을 바라보시며 대성통곡하시는 대목이 나온 것이었다.

"예루살렘아, 네가 장차 너에게 닥칠 일을 알았더라면 네가 이러지는 않았을 텐데! 네가 평화의 길을 알았더라면! 너희들이 죄악에 빠져 있

답동성당에서의 사제서품(1991년 7월 10일)

고 하느님을 멀리하고 있기 때문에 너에게 장차 멸망이 다가올 것이다. 그러니 미리 알고 하느님께 회개하여 하느님께 다시 돌아와서 사랑을 회복하면 망하지 않으련만!"(루카 19,42-44 참조)

이 대목을 읽는 순간 호세아서에서 만났던 하느님 사랑의 마음이 나의 가슴과 공명하였다.

"맞아! 내가 청년 때 이 사랑 때문에 가슴이 얼마나 뛰었는데......."

그러고 나서 순간적으로 환시를 보았다. 남산 꼭대기에서 서울을 내려 보시며 "서울아! 서울아!" 하고 우시는 예수님을 본 것이다. 순간 그냥 눈물이 쏟아져 내렸다. 바지를 다 적실 만큼 소나기 같은 눈물이 하염없이 쏟아졌다. 그러고는 정확하게 주님의 말씀을 들었다.

"니가 내 마음을 알지 않느냐? 너희를 향한 나의 사랑이 어떤지 나는 이미 너한테 맛을 보여줬다. 그러니 이 마음을 전해라."

지금도 당시의 느낌이 그대로 내 안에 살아 있다. 나는 대답했다.

"알겠습니다. 제가 신부가 되어 당신의 사랑을 전하겠습니다."

이게 나의 첫 마음이었다. 그래서 지금도 사람들을 만나면 이 '사랑'을 전하는 것이다.[3]

차 신부가 주님의 부르심(사제성소)을 받게 되는 데에는 '하느님 사랑'에 대한 깊은 체험이 있었다.

사제의 길은 그가 가고 싶다고 갈 수 있는 것이 아니다. 오히려 그가 하느님의 사랑을 깊이 체험하고, 그분을 너무 사랑해 자신을 온전히 그분께 봉헌하고 싶은 마음이 컸기에 사제의 길로 걸어간 것이다.

초대 인천교구장 나 굴리엘모 주교에게 축성받고 있는 차 신부(1991년 7월 10일)

그리고 차 신부가 지녔던 첫 마음은 자신이 체험한 뜨거운 하느님 사랑을 전하는 것이었다. 우리가 지금 그를 생각하면서 그가 전한 하느님 사랑을 느끼는 것처럼!

신바람 신앙

사제가 된 차 신부가 교우들에게 전하고 싶었던 것은 무엇이었을까? 그것은 그가 느낀 하느님의 사랑과 그것에서 비롯된 '신바람 신앙'이었다.

그는 교우들이 신앙을 올바로 이해하고 기쁘게 살아가는 데 도움이 되는 책을 쓰게 된다. 대표적으로 그의 저서 『가톨릭 신자는 무엇을 믿는가』(2003)의 후속이자 변형판인 『여기에 물이 있다』(2004)와 『밭에 묻힌 보물』(2005)이 이에 해당한다. 차 신부는 이 두 권의 머리말에서 자신이 전해주고 싶은 신앙에 대해서 말하고 있다.

믿는 재미와 열심, 믿음을 통해 얻는 위로와 은총……. 누군가가 이 책을 통하여 이런 것들을 얻게 된다면 더 바랄 것이 없겠습니다. 온몸으로 노래하는 신앙고백을 일깨우고 싶었습니다. 뜨거운 신앙, 요지부동의 신앙, 신바람 난 신앙, 깨어있는 신앙을 점화하고 싶었습니다……. [4]

그동안 저는 독자님들이 이 '돈 없이', '값 없이' 누리는 은총에 눈뜨도록 돕는 것을 소명으로 여겨왔습니다. 『여기에 물이 있다』는 우리가 매일 무덤덤하게 대하는 미사, 성경, 기도, 성사(聖事), 십계명(十誡命) 등에서 빛나는 '은총'의 보물을 발견할 수 있도록 안내해 줍니다. 이 책에서는 '의무'라는 단어를 거의 찾아볼 수 없습니다. 하지만 이것은 속임수가 아니었습니다. 신앙생활의 맛을 좀 본 사람이라면 누구든지 의무를 뒤집으면 거기서 은총을 발견할 수 있기 때문입니다. [...]

신앙생활에서 제자리걸음을 하던 이들이 (『밭에 묻힌 보물』을) 읽으셔서, 말 그대로 신앙의 '밭에 묻힌 보물'들을 발견하고 집에 돌아가서 가진 것들(시간, 능력, 재물 등)을 다 팔아 그것들을 얻으려고 투자하는 놀라운 변화가 일어난다면, 큰 보람이 되겠습니다.

요즘 교회가 무척 힘듭니다. 하지만 저는 곳곳에서 희망을 봅니다. '은총'이라는 명약이 듣는다는 확신을 얻습니다. '은총'에 눈을 뜨도록 조금만 도와주면 의무를 얘기하지 않아도 신자들이 알아서 바르게 살고, 사회에서도 당당히 빛과 소금의 역할을 할 수 있게 됩니다.

이제껏 놓쳐왔던 '은총'에 눈뜨는 신자가 하나 둘 늘어간다면 교회 밖의 사람들이 이를 보고 하나씩 둘씩 다시 돌아올 것을 믿어 의심치 않습니다.[5]

차 신부는 삶에 지치거나 신앙을 잃고 교회를 떠나는 사람들 그리고 올바른 신앙을 찾지 못한 채 방황하는 사람들과 함께 진짜 신앙이 무엇인지 나누고자 했다.

그가 체험했고 전하고자 했던 진짜 신앙은 은총의 신앙이었던 것이다. 주님께서 주시는 은총 속에서 기쁘고 신바람 나는 신앙을 모든 이들이 가질 수 있도록 그는 끊임없이 노력했다.

참 소중한 당신

'나'란 사람은 어떤 존재일까.

차 신부에게 인간과 인생에 대한 주제는 평생의 화두였다. 자신에 대한 성찰 또한 항상 중요한 주제였다.

'나는 누구인가'

창간한 잡지 『참 소중한 당신』(2004년 창간)의 이름을 고민하며, 그는 자신의 존재에 대한 깊은 깨달음을 얻게 된다.

참 소중한 당신 잡지를 창간할 때의 일이다. 나는 이 세상을 훈훈하게 해 줄 미담들을 모아서 많은 이가 나눌 수 있는 길이 있었으면 하는 바람이 있었다. 잡지가 좋겠다고 생각하였다. 그런데 잡지는 돈 잡아먹는 밑 빠진 독이라며 많은 분이 반대하였다. 나는 가치 있는 일이라면 손해를 생각하지 않고 실행하는 성격인지라 고집을 부려 감행하였다. 그런데 잡지에 붙일 신통한 이름이 떠오르지 않았다. 100만 원을 걸고 공모도 해 봤으나 마음에 드는 이름이 없었다. 그러던 어느 날 새벽, 막 잠에서 깨는 순간, 이름이 떠올랐다.

참 소중한 당신 2020년 1월호 표지

"참 소중한 당신!"

"참 소중한 당신? 거 괜찮네."

찰나적으로 어떤 따스한 손길이 나를 감싸 안아 줌을 느꼈다. 뜬금없이 눈물이 흘렀다. 그렇다. 나도 소중하고, 너도 소중하고, 모두가 소중한 존재다.

더 이상 고민할 이유가 없었다. 이렇게 해서 잡지 『참 소중한 당신』이 태어났다. 많은 분이 이 잡지를 읽으며 자신의 소중함을 재발견하게 되었고, 주변의 소중한 사람들을 만나는 축복을 누렸다며 감사의 말을 전해 온다.[6]

같은 내용의 글을 차 신부는 그의 저서 『통하는 기도』(2008)에서도 밝히고 있다. 그는 잡지명을 깊이 있게 고민할 때 그를 포옹해 주는 손길을 느꼈다고 말한다. 그 손길의 주인은 바로 하느님이었다. 자신을 포옹해 주는 그 손길에서 자신의 존재의 소중함을 뼛속 깊이 체험하게 된다. 그래서 『참 소중한 당신』의 잡지명이 성령의 감도를 통해 받은 것이라 말하고 있다.

어떤 일이든 주님의 도움을 청하고 그분과 함께 하려 할 때, 자신의 존재가 주님 안에서 어떤 존재인지 그는 깊이 깨닫게 되었다. 이런 체험이 그를 더욱 그분의 품에 있게 해 준 것이다.

거룩한 욕심

차 신부는 욕심이 많은 사람일까?

그렇다고 볼 수 있다. 그러나 그것은 인간적인 측면이 아닌 영적인 측면으로 보아야 정확할 것이다.

차 신부는 하느님 사랑을 많이 받았던 사람이다. 많은 체험 속에서 그분의 사랑을 더 받고 싶어 했고, 또 그것을 널리 전하고 싶은 욕심이 생겼을 것이다. 그것을 차 신부는 '거룩한 욕심'이라 불렀다.

주님께서는 우리에게 말씀을 통하여 '믿음'과 '희망'을 공급하신다.

없던 믿음이 언제 생기는가? 말씀을 들을 때 생긴다. "나는 믿음이 없는 게 문제야"라고 하는 이들은 믿음이 없는 게 문제가 아니다. 말씀을 안 읽고, 말씀을 공부 안 하는 게 문제다. 말씀을 읽고 말씀을 공부한 사람 치고 믿음이 없는 사람은 없다. 항상 말씀을 가까이 하는 생활을 하자. 그러면 믿음이 공급되고 믿음이 자라난다. 나는 회원들을 대상으로 매주 『신나는 복음 묵상』 CD를 보내드리고 있다. 많은 분들이 그 말씀을 듣고, 힘을 받는다고 전해온다. 없던 믿음도 불쑥불쑥 생긴다고 한다.

또 말씀을 자꾸 듣다 보면 희망이 생긴다. 복음 묵상 회원들은 말한다. 말씀으로 은혜 받은 사람들의 이야기를 들으면, "나는 왜 이때껏 이런 은혜 못 받았지? 나는 어떻게 해야 되지?" 하고 희망이 생긴다는 것이다.

우리에게는 이런 거룩한 욕심이 필요하다. 성당 다니면서 거룩한 욕심이 없는 사람, 곧 "나는 욕심이 없어. 그러니 주님께서 나를 얼마나 좋아하실까 몰라" 하는 이들, 거 야단맞을 소리다. 그건 생의 의욕이 없다는 얘기와도 같다. 주님께서는 분명 "추수할 것은 많은데 추수할 일꾼이 적다"(루카 10,2 참조)라고 하셨다. 누가 이 말씀 앞에서 '마음 비웠다'고 희망을 접을 것인가. 고백하거니와 나는 욕심이 많다. 나의 욕심은 주님을 더 많은 사람들에게 알려드리고 싶다는 것이다. 나는 그것 때문에 칭찬을 받으면 받았지 야단맞지는 않을 것임을 확신한다.[7]

차 신부가 말한 거룩한 욕심은 하느님 말씀에서 힘을 얻는 것, 그 말씀에 희망을 두는 것을 말한다. 자신의 삶의 소중함을 느끼며, 주님 말씀이 듣는 이에게 힘을 준다는 것을 굳게 믿는 것은 중요한 일이다. 차 신부는 이런 거룩한 욕심을 가질 것, 곧 말씀을 굳게 믿을 것을 조언하고 있다.

기억의 힘

주님께 대한 믿음은 어떻게 성장할까?

많은 신자들의 고충 속에는 '믿음에 관한 문제'가 들어 있다. 믿음이 약해서, 아무리 노력해도 쉽게 믿음이 성장하지 못해서....

차 신부는 그 해법으로 주님 말씀에 굳은 믿음을 두는 것과 함께 '기억의 방법'을 제시한다.

믿음이 성장하는 첫 번째 방법은, "기억하라!"다. [...]

지난날 '나'의 삶 고비고비를 동반해 주신 주님을 잊지 않고 기억하면 저절로 믿음이 자라난다. 나는 걸핏하면 찾아오는 고비 때마다 주님께서 건져주셨다. 차마 다 나열하기도 힘들 정도다. 중요한 건, 내가 그렇게 주님께 힘 받을 때마다 감사를 '잊지 않는다'는 것이다. 그러면 더 감사할 일이 생긴다. [...]

우리의 믿음은 왜 줄어드는가? 기억을 안 하니까 줄어드는 것이다! 우리는 항상 첫 마음을 기억해야 한다. 그리고 중간 중간 기도 응답 받은 것들을 다 기억해야 한다.

"아, 그때 그러셨지, 죽는다고 난리쳤었는데 살려주셨지. 돈 없어 아등바등 할 때 주님께서 돈도 꿔주셨지."

이렇듯 지난날 하느님의 사랑과 은총을 기억하면 믿음이 성장할 수 밖에 없다.

또 예수님께서 하신 말씀 속 '기억'의 의미를 새롭게 해석하고 있다.

예수님께서는 제자들과의 마지막 만찬 때 이렇게 말씀하셨다.

"너희는 나를 기억하여 이를 행하여라"(루카 22,19).

예수님은 왜 "나를 기억하라"고 말씀하셨을까? 바로 이런 뜻이다.

"나를 기억해서 이 예를 행해라. 그래야 너희가 바르게 살 수가 있고, 힘을 받아 바로 설 수가 있다."

예수님은 우리의 믿음을 유지시키기 위해서 저 말씀을 주신 것이다. 우리가 거듭 주님의 십자가를 기억하며 성체를 모실 때, 주님께서 이루신 모든 구원업적이 우리 기억에서 되살아나 다시 새로이 역사하실 것이라는 믿음이 생길 것을 주님께서는 통찰하셨던 것이다.

한편, 차 신부는 이 기억의 방법을 자신이 만든 2박 3일 〈선교 훈련 시그마 코스〉 프로그램에서 실제로 적용했다. 이 프로그램은 그의 저서 『선교 훈련 시그마 코스』(2006)의 원리와 방법을 실제 사목현장의 선교 방법으로 제시한 것이다.

이 선교 프로그램에서 그는 기억의 방법이 갖는 놀라운 힘을 체험하게 된다.

내가 공을 들이고 있는 〈선교훈련 시그마코스〉라는 2박3일 선교훈련 프로그램이 있다. 강의 후, 관심을 갖고 지켜보는 과정이 하나 있는데 바로 '은총체험'을 확인하는 시간이다. 참가자들이 자기 인생을 처음부터 다 뒤져서 그동안 받은 은총을 종이에 적은 뒤 마이크를 돌리면서 조별로 대표를 정하여 차례대로 얘기하게 하는데, 들어 보면 별별 체험들이 다 있다. "문제를 해결해 주셨어요. 평화를 주셨어요. 행복도 주시고 능력도 주셨어요. ...."

보통 천주교 신자들은 이런 이야기를 잘 하지 않는 터라 체험도 많지 않을 줄로만 생각했었는데 웬 걸, 말하는 제한시간이 1분인데도 그 많은 사람들이 마이크만 잡으면 5분이고 10분이고 놓을 생각을 안 한다. 그 모습을 볼 때마다 나는 느낀다.

"아, 하느님은 살아계시는구나. 모든 사람이 체험하는 하느님이시구나!"

내게 주신 하느님의 은총은 무엇인가? 매 순간 과거 은총을 기억하자. 믿음이 날로 자라날 것이다. 또한 과거의 은총을 잊지 않는 사람이 미래의 축복을 받게 되어 있다.[8]

차 신부는 이 프로그램을 통해서 신자들 속에 살아 숨 쉬는 하느님에 관한 기억을 다시 불러일으켰다. 그들 마음속에는 이미 하느님이 살아 계셨다. 그리고 이것을 가능하게 하는 것은 각자가 지닌 '기억의 힘'이었다.

기억한다는 것은 자기 안의 신앙 감각을 다시 불러일으킨다는 것이고, 다시 살아있는 신앙생활을 하게끔 만드는 것이다. 신앙인으로서 잊고 지냈던 소중한 기억을 차 신부는 끌어 올렸다. 그는 그것이 축복을 받는 길이라 생각했다.

세 번의 만남

차 신부의 신앙 여정 속에는 중요한 한 인물이 있다. 우리에게는 낯설 수 있지만, 1945년 해방 이후 김포지역에서 열심히 선교활동을 한 인물이다.

차 신부가 1999년부터 2002년까지 고촌 성당에서 주임신부로 있을 때와 2001년 '미래사목연구소'를 세웠을 때 그리고 2006년 미래사목연구소를 고촌으로 이전했을 때에도 이 인물과 떼려야 뗄 수 없는 인연을 맺게 된다. 그는 송해붕 세례자 요한 선생이다.

차 신부는 송해붕 선생을 이렇게 소개하고 있다.

송해붕 세례자 요한은 1926년 경기도 부천구 계양면에서 2남 4녀 중 장남으로 모태 신앙을 갖고 태어났습니다. 그는 44년 4월 덕원신학교로 편입하여 신학생 생활을 하던 중 45년 해방 이후 사제가 되기 위한 학업 과정을 중도에 포기하고 계양구 귤현동, 고촌 은행정 마을(현 김포시 고촌면 신곡리 은행정)로 들어가 야학을 운영하며 전교 활동을 벌입니다.

이후 몇 년간 은행정과 누산리 공소(현 김포시 양촌면 누산리)를 오가며 펼친 전교 활동은 가히 성인의 수준이 아니고는 이룰 수 없는 것이었습니다. 그의 신앙과 열정과 수고는 가는 곳마다 청년이고 어른이고를 막론하고 그리스도의 제자가 되도록 변화시켰습니다. [...]

그러나 청년 송해붕은 1950년 6.25전쟁 당시 천주교가 동네에 전파되는 데 반감을 가진 주민 일가의 밀고로 빨갱이로 몰려 총살형을 당하고 맙니다. 그의 죽음은 신앙 전파 때문이었습니다. [...] 청년 송해붕 세례자 요한은 평소 세례자 요한처럼 살다가 순교하기를 소원했다고 합니다. 주님께서는 그의 소원을 들어주셨습니다.[9]

차 신부는 이런 송해붕 선생을 세 번 만나게 된다.

처음에 내가 송해붕 세례자 요한 선생을 알게 된 것은 고촌 성당 초대 주임 신부로 부임 받은 후였다. [...] 토박이 신자들은 그에게서 교리를 배우고 그를 통해 신앙을 얻게 된 사실을 자랑스럽게 회상하고 있었다. [...] 나는 고촌에서의 사목활동에서마다 그의 전구가 가져다준 은총을 강하게 느꼈다.

그것도 잠시, 나는 다시 명을 받고 '사목연구소' 설립 책임을 맡게 되어 그곳을 떠나게 되었다. 여러 장소를 물색하던 끝에 양곡 본당 소속 누산리 공소를 개조하여 자리를 잡았는데, 그곳이 송해붕 선생이 고촌 공소에 기거하면서 자주 교리를 가르치러 왔던 곳이며, 6·25 때 공산당을 피해 잠시 피신해 있던 곳이었다는 이야기를 듣게 되었다. [...] 이렇게 해서 두 번째 만남이 이루어졌다.

그런데 이것이 전부가 아니었다. 그와의 세 번째 만남이 기다리고 있었다. 누산리 공소에 자리를 잡은 지 어언 4년, 연구소 자리를 옮겨야 할 상황에 몰리고 있었다. [...] 주교님께 보고를 드려 연구소를 새로 짓기로 재가를 얻었다. [...] 그동안 '전구'의 힘을 여러 차례 느껴왔던 터였기에 가급적이면 고촌 부근에서 멀리 떠나고 싶지 않아, 마지막 희망을 품고 송해붕 선생의 이름으로 기도를 드렸다.

"송해붕 세례자 요한 님, 제가 이곳을 떠나는 것이 옳지 않다면 '땅'을 마련해 주시고, 만일 떠나도 상관없다면 앞으로도 계속 전구해 주세요." [...]

그런데 기도를 드린 바로 다음 날이었다. 뜻밖의 전화를 받았다. 적당한 땅이 나왔으니 만나자는 것이었다. 안내해 준 이가 "이 땅입니다" 하고 가리킨 땅은 바로 고촌 천등고개에 있었다. [...]

'천등고개? 그러면 이곳은 송해붕 선생이 순교하신 곳이 아닌가?'

바로, 총살형이 행해진 현장에서 100m거리에 위치한 곳이었다. 나는 즉석에서 답변하였다.

"맘에 듭니다. 사겠습니다." [...]

고촌을 떠나지 않는다면 어디 한쪽 구석의 땅이라도 고마울 판에 이렇게 좋은 땅이 기다리고 있었다니.... 이는 분명 하느님께서 예비해 놓으신 땅이로구나. 나는 송해붕 선생의 전구에 힘입은 것임을 직감했다.[10]

차 신부는 송해붕 선생과의 인연이 결코 우연이 아님을 확신했다. 그리고 송해붕 선생이 보여주었던 복음을 향한 열정을 누구보다도 본받고 싶어 했다.

충실한 신앙인의 삶을 보여준 송 선생과 차 신부와의 인연은 인간적인 만남으로 이루어진 것이 아니라, 영적인 교감이며, 하느님 안에서의 통교라 할 수 있다.

이런 인연이 차 신부의 복음 선포의 열정을 더욱 끓어오르게 만든 것이 아닐까.

참고로 송해붕 선생의 유가족들과 이러한 차 신부의 노력으로 송해붕 선생의 시복시성을 현재 추진 중에 있다.

온전히 맡김

믿음이란 무엇일까? 단순히 누군가를 신뢰한다는 의미에서 꺼내는 질문이 아니다.

신앙의 측면에서 차 신부에게 '믿음'에 관한 질문을 하는 사람은 꽤 많았다.

약해지는 믿음 때문에, 또 믿음을 가졌지만 의지가 없어 쉽게 뿌리를 내리지 못하는 신앙으로 고민하는 이들이 많았기 때문이다.

이런 질문에 차 신부는 다음과 같이 답하고 있다.

믿음에는 '온전히 맡기다'라는 의미가 있습니다. 믿음은 하느님께 나의 인생 전체를 내어맡기는 것입니다. 믿음은 나 자신과 나의 문제들, 나의 가족들, 나의 직업, 고민들, 나의 모든 것을 그대로 맡기는 것입니다. 심지어 나의 생각과 말과 행위까지 맡기는 것이 믿음입니다. 나의 계획과 나의 미래까지 맡기는 것이 믿음입니다. 여기서 맡김은 책임 회피와는 전혀 다른 차원의 맡김입니다. 내가 할 일을 하지 않고 하느님께 맡긴다는 뜻이 아니라, 내가 해야 할 일은 성실히 하면서 모든 무거운 짐을 기도로 하느님께 의탁하는 믿음입니다.

이렇게 삶의 모든 것을 송두리째 하느님께 맡기면 좋은 일이 일어납니다. 우선 결과에 집착하지 않게 되어 근심 걱정이 없어집니다. 그리고 내가 기대했던 것보다 항상 좋은 결과를 얻습니다. 왜냐하면 하느님께서는 그분께 의지하는 자에게 가장 '좋은 것'을 이루어 주시는 분이기 때문입니다.[11]

차 신부는 하느님께 믿음을 두는 것을 '자신의 인생 전체를 온전히 맡기는 것'이라 말하고 있다. 물론 자신의 할 일을 성실히 행하는 가운데 이런 믿음을 둘 것을 강조했다.

처음에는 이렇게 믿음을 갖는 것이 어렵겠지만, 성경 속 인물들과 성인들의 모범을 따라서 차츰차츰 주님께 다가가는 법을 배우게 되면 믿음은 성장하게 되어 있다. 그러면 분명히 그렇게 믿음을 두는 사람에게 좋은 것이 함께 함을 차 신부는 전하고 싶었을 것이다.

피스토스(Pistos)

복음 말씀을 듣고 기억했다면 다음 단계는 무엇일까.

바로 그 말씀을 '믿는 이'가 되는 단계이다.

차 신부는 부활 제2주일 복음을 묵상하면서 '믿는 이'에 관한 놀라운 가르침을 깨닫게 된다.

"네 손가락을 여기 대 보고 내 손을 보아라. 네 손을 뻗어 내 옆구리에 넣어 보아라. 그리고 의심을 버리고 믿어라"(요한 20,27). [...]

나는 이 대목을 아무리 묵상해 봐도 은혜가 되지 않는 부분이 있었다. "의심을 버리고 믿어라" 하시는 말씀이었다.

누가 의심을 버려야 하는 줄 몰라서 못 버리는가. [...] 의심이 있는 성격을 가진 사람한테 의심을 하지 말라니. [...] 그래서 복음서 원문을 확인해 봤더니, 아니나 다를까 문장이 달랐다. [...]

"토마스야, 아피스토스apistos가 되지 말고 피스토스pistos가 되어라."

여기서 아피스토스는 '안 믿는 이'란 뜻이고, 피스토스는 '믿는 이'란 뜻이다. 즉, 안 믿는 이가 되지 말고 믿는 이가 되라는 말씀이셨던 것이다.

“옳거니!” 나는 여기서 무릎을 탁 쳤다.

“그래 이 말씀이셨구나. [...] 이 말씀 하나 가지고 일 년 먹고 살겠구나.”

무슨 뜻인가. 믿음은 하나하나의 ‘case by case’로 믿는 것이 아니라, 통으로 믿는 것이라는 말씀이다. 한 사건에 대한 믿음이 아니라, 통으로 “안 믿는 이냐, 믿는 이냐”를 선택하는 것이다. 그래서 자신이 ‘믿는 이’가 되기로 선택하고 나면, 모든 것이 믿음의 눈으로 바라봐지는 것이다. 그리하여 이 믿음의 눈으로 보면, 다 축복이고 다 은총이고 다 행복이고 다 잘 된다. 반면 ‘안 믿는 이’의 눈으로 보면 다 불행이고 다 실패고 다 좌절이고 다 불평거리다.[12]

‘믿는 이’가 되는 단계는 결코 쉬운 단계가 아니다. 그러나 말씀의 힘을 믿고 그것에 의탁하는 사람에게는 믿는 차원의 단계가 열리게 된다.

차 신부 말의 핵심은, 믿음이라는 것이 하나하나의 사안으로 해석되는 것이 아니라, 일상의 사건을 바라보는 총제적인 안목이라는 것으로 해석된다. 그는 이런 총제적인 안목(통으로 믿는 것)을 갖는 것이 바로 ‘믿는 이’가 되는 것임을 일깨워 주고 있다.

고백하는 대로

기도에 대한 믿음이 부족할 때, '주님께서 정말 내 기도를 들어주실까?', '다른 이들의 기도는 들어주시는데, 내 기도는 왜 안 들어 주시지…?' 하고 질문하는 경우가 많다.

의심이 들고 믿음의 확신이 부족할 때, 차 신부는 오히려 그것을 갖고 씨름하기보다 이미 응답 받았음을 확신하라고 강조하고 있다.

주님께선 입술로 믿음을 고백한 사람의 소원을 이루어주신다. 고백하지 않으면, 그 사람의 동의가 없으면, 기적은 일어나지 않는 법이다.

사실 은혜는 굉장히 공평하다. 하늘에서 내리는 비는 모두에게 공평하지만, 그 비를 얼마만큼 받아내느냐는 각자가 준비한 그릇만큼에 따라 다르다. [...] '내'가 구하는 대로 '내'가 청하는 대로 '내'가 믿는 대로 '내'가 고백하는 대로 이루어지는 것이 믿음이다.

그러기에 좀 과장된 표현이지만, 나는 요즘 신자들에게 뻥 좀 치고 다닐 것을 권한다. 믿음의 뻥 말이다.

"두고 봐! 우리 집이 잘 되는지 안 되는지. 내가 성당 다니기 때문에 잘 되게 돼 있어. 예수님 믿기 때문에 잘 될 거야. 두고 보라구." [...]

우리가 큰소리를 못 치는 것은 아직 믿음이 없기 때문이다. 믿음이 부족하기 때문이다. [...]

한 가지, 이보다 더 큰 믿음은 앞서 언급했듯이 과거형으로 믿는 것이다. 우리가 기도할 때 '이미' 받은 줄로 믿으면 그대로 된다. 그러기에 "응답 받을 거야"가 아니라 "이미 응답 받았어. 아직 현물이 배달이 안 된 것뿐야. 결재는 났는데 택배로 오는 중이야"라는 믿음을 가질 때 더 풍족한 은혜가 넘쳐나는 것이다. 그러니 매 순간 과거형으로 고백하라.[13]

우리는 믿음에 관해 조금 더 대담함을 지녀야 할 것이다. 크게 믿는 자는 크게 받게 되리라는 것이 차 신부의 믿음이었다. 그래서 그는 사제 생활을 하면서 많은 것을 꿈꾸었고 주님으로부터 그가 바라는 것보다 더 많은 응답을 받게 되었다.

그러면 나의 믿음의 그릇은 얼마나 큰가?

상상력의 샘

차 신부는 성령에 대해 어떻게 이해하고 있을까?

간혹 신앙생활하다가 계속 타고 있는 성령의 불을 끌 때가 있다. 신앙을 머리로만 이성적으로만 생각하다 보니까 가슴으로 하는 신앙을 우습게 아는 것이다.

유다인은 '마음'을 다하고 '목숨'을 다하고 '힘'을 다하는 신앙을 대물림하며 향유했다. 그러기에 그들에게 신앙은 지성과 감성과 의지를 총동원한 전인적인 것이었다. 이는 우리에게도 필요한 태도다. 우리에게 주류를 이뤘던 '이성' 신앙 곧 '머리' 신앙이 '감성' 신앙 곧 '가슴' 신앙으로 보완될 필요가 있다는 말이다. 지금 이 시대는 감성이 발달된 이들이 시대의 주류를 이룬다. 성령은 이 감성 즉, 상상력과 창의력의 샘이다. 성령이 충만하면 영감이 계속 온다. 이는 성경의 증언이며 내 체험이기도 하다.

이성으로 충만한 신앙이 보완되기 위해서는 가슴 신앙이 발달해야 한다는 것이 성령을 대하는 차 신부의 주장이다. 그는 성령에서 창의력의 샘이 충만하게 솟아오름을 체험했다.

한 인터뷰에서 차 신부에게 글을 쓸 때 어떤 마음으로 쓰는지 물었다. 차 신부는 이렇게 답했다.

나는 글을 쓸 때, 뭔가 흐르는 느낌이 듭니다. 흐름이 강하게 오면 쓰고, 흐름이 멈추면 안 씁니다.

이 대답은 성령에 관한 증언이었다. 그가 글을 쓰는 데에는 성령의 도움이 절대적이었다. 그 힘을 차 신부는 이렇게 증언하고 있다.

성령이 내 안에서 불타고 있으면서 영감을 주시기 때문에 글이 흐르는 것이다. 이 흐르는 글은 성령의 충동과 감동이 있기에 엄청난 다이내믹이 있다. 역동적이다. 폭포가 됐다가 강이 됐다가 시냇가가 됐다가 변화무쌍하다. 고요하게만 흐르는 게 아니라, 어떤 때는 거칠고 거세게 흐르고, 어떤 때는 부드럽게 흐른다. [...]
성령이 중재하시기에 우리는 하느님과 그리스도를 더 잘 느끼고, 성령이 감도하시기에 복음을 생생하게 알아듣고, 전례를 역동적으로 체험하며, 신바람이 나서 자발적으로 그리스도인의 삶을 살 수 있는 것이다.[14]

차 신부는 이런 성령의 체험을 통해 성령에 친밀할수록 그 은혜를 더 받게 됨을 강조했다. 그렇게 되기 위해서는 세례성사 때 받는 그리고 견진성사 때 깊이 체험한 성령을 계속해서 기억하고, 그분을 자기 삶에서 느껴야 한다. 왜냐하면 성령을 느끼는 삶이 하느님께서 자기 안에서 살아 숨 쉼을 체험하는 삶이기 때문이다.

새벽 기도

일 년에 600회가 넘는 강의를 했던 차 신부는 언제 강의 준비를 하고, 또 언제 그 많은 책을 썼을까? 보통 사람에게도 버거운 일정을 그는 지병의 몸 상태에서 거의 초인의 힘으로 소화했다. 어떤 비결이 숨겨져 있을까?

그것은 새벽에 기도하고 공부하는 것이었다. 하지만 그에게도 처음부터 쉬운 일은 아니었다.

고백하건대, 새벽은 나에게 큰 짐이었습니다. 누구고 아침 타입이 있고 저녁 타입이 있다고 합니다. 학교 다닐 때 공부 습관이 잘못 들어서인지 나는 늘 늦게 자고 늦게 일어나는 것이 훨씬 능률이 좋은 것 같았습니다. 또 책 한번 붙잡으면 끝까지 보아야 직성이 풀리는 성격이라 잠자는 시간이 들쭉날쭉이었습니다. 그런데 영성에 관한 책들은 하나같이 저녁잠과 새벽의 소중함을 말하고 있었습니다. 공감은 갔지만 그래도 결단은 늘 못 내렸습니다. 핑계거리는 언제나 많았습니다. 강의를 다니다 보면 저녁 늦게 12시 되어서나 집에 돌아오는 때도 많았기 때문입니다. 어느 날 불현듯 이래서는 안 되겠다는 생각이 들었습니다. 그래서 규칙을 정해 봤습니다. 일단 10시를 기준점으로 잡아봤습니다. 무조건 잠자리에 들어가 봤습니다. 그랬더니 조금씩 조금씩 나아졌습니다. 그랬더니 새벽 다섯 시, 여섯 시에 눈이 떠지는 것이었습니다. 그리고 경탄은 계속 되었습니다. 이렇게 좋은 세상이 있었구나! 진작 알았더라면![15]

이후 그의 저서 『통하는 기도』를 집필하면서 그는 이렇게 고백한다.

나는 새벽 4-5시에 일어나서 기도하거나 집필하기를 좋아합니다. 그리고 그 시간이야말로 하느님께서 움직이시는 시간임을 알고 있습니다.[16]

차 신부는 일정이 바쁘면 바쁠수록 무엇에 먼저 의지해야 하고 봉헌해야 하는지 알고 있었다. 자신의 오래된 습관에 변화를 주면서 자신의 사명에 최선을 다하는 법을 알게 된 것이다.

새벽 기도와 새벽 공부.

누군가에겐 별 새로운 것이라 할 수 없겠지만, 그에겐 그가 가진 온 힘을, 온 정신을, 온 마음을 봉헌한 시간이었고 방법이었다.

기도부대

미래사목연구소 소장과 인천가톨릭대학교 교수로 활동하면서 차 신부에게는 일이 끊이지 않았다. 활동하는 범위도 그가 소속된 인천교구를 넘어, 전국으로, 더 나아가 전 세계로 확장됐다.

상식적으로 생각해도 혼자 힘으로 그 많은 일정과 소임을 소화하기란 쉽지 않았을 것이다. 하지만 그 곁에는 항상 '기도부대'가 있었다.

"내가 또 진실로 너희에게 말한다. 너희 가운데 두 사람이 이 땅에서 마음을 모아 무엇이든 청하면, 하늘에 계신 내 아버지께서 이루어 주실 것이다"(마태 18,19).

나는 이 말씀의 위력을 몸소 체험하고 있다. 늘 주변에서 나를 위해 기도해 주시는 많은 '기도부대'가 있다. 나의 강의가 늘 은혜로운 것은 바로 지금 이 순간에도 나를 위해 기도해 주는 분들이 계시기 때문이다. 나 개인을 위하는 것이 아닌, 강의에 함께하는 모두의 영적 성숙을 위함임은 두말할 나위가 없다. 하물며 주님께서 독자들에게 주실 수 있는 것은 얼마나 더 크겠는가![17]

차 신부의 저술과 강의 시간은 혼자만의 시간이 아니었다. 그와 함께 하시는 하느님과의 시간이었고, 그에게 힘이 되어주는 기도부대와의 시간이었다.

그는 그를 기도로 응원하고 동참하는 사람들의 힘을 분명히 느꼈고 매우 감사했을 것이라 믿는다. 나약한 사제 한 사람의 힘으로는 도저히 그 많은 소명을 감당하기란 어려운 것이기 때문이다. 하지만 주님과 기도부대에 힘입어 차 신부는 묵묵히 그리고 기쁘게 그 길을 걸어 간 것이다.

영적전쟁

믿음이 충만할 때 행복감과 자신감 혹은 사랑의 감정까지 충만해 진다. 그러나 이것을 시샘하는 존재가 있으니, 그것은 사탄 또는 마귀라 할 수 있다.

주님의 일을 할 때 그들은 더욱 분명하게 존재감을 드러낸다. 이유 없이 방해하는 존재가 생기거나 주님께 다가가려고 노력할 때 마음을 산란하게 만드는 존재로 종종 나타나곤 한다.

차 신부가 열심히 일을 할 때도 이와 같은 일은 발생했다.

나는 특히 마귀의 방해 공작과 관련된 체험이 많다.

한번은 신흥영성운동을 연구할 때 일어난 일이다. 알다시피 여기에는 사탄이 배후로 깔려 있다. 우선 기초자료조사를 위해 한 연구원을 전담으로 동원시켰다. 그런데 그 뒤로 이 연구원이 연구소에 오면 이상하게 하루 종일 꾸벅꾸벅 조는 것이었다. 당시 나는 그 이유가 새로 가입했다는 동아리활동 탓인 줄로만 알았다. 거의 한 달을 그렇게 흘려보냈다. 그래서 일단 작업을 정지시키고 다른 연구원에게 맡겨보았다. 그런데 약속한 날짜가 됐는데도 기초자료가 안 올라오는 것이었다. 화가

난 나는 여태껏 한 자료들만이라도 다 받아서 마무리 짓기로 결심했다.

다음 날 새벽 4시, 연구소에 도착한 나는 컴퓨터를 켜고 자료를 전부 훑어보는데 내용이 보통 뒤죽박죽이 아니었다. 가장 머리 맑던 그 시간이 그날따라 어수선한 원고들로 인해 두통과 졸음이 확 몰려오는 것이었다. 그제야 실체를 파악했다. 곧바로 기도서를 꺼내 '103위 호칭기도'를 바치고 대천사 세 분을 불러 각각 기도드렸다.

"영적 전투가 시작됐습니다. 오셔서 이 하늘을 맑게 해 주십시오."

그러자 30분도 채 안 되어 거짓말처럼 하늘이 개고 졸리던 기운이 가시는 것이었다. 몇 달 동안 진척 없던 그 작업은 내 명오가 열리자 오전 내에 다 정리되었다. 그렇게 해서 탄생한 것이 신흥영성운동을 낱낱이 파헤친 『저희가 누구에게 가겠습니까?』(2006)라는 책이다.

이 체험을 통해 나는 확실히 깨달았다. '역시 대천사들의 끗발이 좋구나. 진짜 어려울 때는 이분들을 불러 기도해야겠다!'

또 차 신부는 『다빈치 코드의 족보』(2006)라는 책을 집필할 때도 비슷한 체험을 하게 된다.

당시 『다빈치 코드』가 유행하면서 일부 젊은이들과 무신론자들 사이에는 예수님을 부정하고 교회를 멸시하는 분위기가 대세였다. 나는 그 상황을 두고 볼 수 없어 『다빈치 코드』가 내세운 얼토당토않은 주장들을 조목조목 반박하는 글을 쓰는 중이었다. 역시 기초자료 수집을 위해 연구원 한 명을 투입시켰다. 그런데 그 연구원이 얼마 못 가 나한테 상담을 요청했다.

"신부님, 이걸 연구한 이후로 밤에 잠을 못 자고 뭔가 헛것이 자꾸 나타나요. 건강도 나빠지는 것 같구요."

대충 짐작한 나는 그 연구원 대신 일부러 아주 이성적이고 논리적인 연구원에게 맡겨보았다. 역시나 곧 골치가 지끈지끈해서 못하겠다는 말이 나왔다. 그동안 해 놓은 원고작업들을 몽땅 날리기까지 했다. 결국 내가 전 작업을 도맡을 수밖에 없었다.

나의 경험상 이렇듯 아주 중요한 영적인 싸움은 말하자면 일반신자들이 건드렸다간 공격을 받는다는 것을 알게 되었다. 이러한 영적 전쟁이 실제 존재하는 것이다.[18]

차 신부는 두 번의 체험을 통해 '영적 전쟁'의 존재를 발견하게 된다. 그리고 그는 이런 싸움이 일어나게 된 원인과 그 대처 방안을 찾고 실천하게 된다. 영적 싸움의 원인은 하느님께로 가는 여정을 시기하고 질투하는 악의 존재이다. 그리고 이것은 주님의 도움 없이는 쉽게 이길 수 없는 전쟁이다.

온 힘을 다해 악이 신자들과 일반 사람들을 현혹시키는 것을 저지하려할 때 그들의 역공격도 만만치 않았을 것이다. 그래서 차 신부는 주님을 불렀고 성인들과 대천사들의 전구도 필요했다.

우리도 주님께 나아가는 여정 속에서 이 같은 영적 전쟁과 직면하게 된다. 하지만 이런 상황을 만났을 때, '아, 내가 주님의 길로 가고 있구나.' 하면서 상황을 받아들이고 주님께 더욱 의지하면서 이겨 나가야 할 것이다. 그러면 주님께서 반드시 지켜 주실 것이다.

임재기도

바쁜 현대인들, 특히 신앙인들의 고충을 듣다 보면, 기도 시간이 부족함을 털어 놓기도 한다. 얼마나 바쁘면 기도할 시간도 없을까. 안타까운 마음도 들면서, 혹시 그들이 기도란 것을 너무 멀게만 생각하고 있는 것은 아닐까 하는 염려도 하게 된다.

바쁜 걸로 치면 차 신부는 누구보다 할 말이 많은 사람일 것이다. 수많은 집필 활동과 연구 그리고 강의까지. 이미 새벽 시간을 이용해 기도했던 그의 삶 속에서 기도에 관한 또 하나의 비밀을 발견할 수 있다.

나는 가끔 생각한다.

"나는 참 은혜를 많이 받은 사람이다. '어떤 기도가 잘 하는 기도인가' 하며 은총 받는 법만 매일 연구하는 것이 사명이니, 그 떡고물이 참 풍성하구나!"

사실이다. 나는 연구 중에서도 복된 연구를 하지 않는가! 교부들과 성인들의 글을 읽고 배우면서 주워들은 게 얼마나 많은지! 내가 직접 깨달은 것은 부족하지만, 내 임무인 연구를 통해서 이렇게 좋은 것들을 참 많이 익힐 수 있으니 이 얼마나 복된가!

내가 얻어먹은 떡고물 중 하나가 '임재기도'의 고물이다. 어찌됐든 나는 일거수일투족을 기도로 연결시키려 노력한다. 간혹 나에게 이런 질문을 하는 이가 있다.

"신부님은 언제 기도하세요?" [...]

나는 이렇게 답한다.

"아무 때나 기도합니다."

이 말도 그대로 사실이다. 나는 연구하면서 기도하고 글을 쓰면서 기도한다. 강의하면서도 기도한다. 산보하면서도 하고, 차에서 운전하면서도 기도한다. 핑계로 말하는 게 아니다. 늘 순간순간을 놓치지 않고 주님의 임재를 느끼려고 노력하고 있다. 물론 정해진 시간에 따로 규칙적으로 기도하려고도 최선을 다한다.[19]

'언제 기도하세요?' 사실 이 질문에 뜨끔하기도 하다. 왜냐하면 '언제나 기도하고 있는지'에 관한 질문으로 들리기 때문이다. 이 질문에 '아무 때나 기도합니다.'라는 차 신부의 대답 속에서 '저는 모든 순간에 주님을 찾습니다.'라는 음성이 느껴진다.

일과 기도가 분리 되지 않고 '어떻게 하면 주님의 현존을 잘 알 수 있을까, 어떻게 하면 주님의 기쁜 소식을 잘 전달 할 수 있을까' 고심했던 그의 생각과 행동에서 그의 삶이 기도였음을 깨닫게 된다. 그의 모든 생각과 행동은 주님만을 향했기 때문이다.

구하라

우리는 어려움과 시련이 닥쳐올 때 무엇을 하게 되는가.

힘겨움 속에서 하루하루 버티거나 절망 속에서 살아갈지도 모른다. 더구나 믿는 구석이 없을 때, 이런 현상은 더욱 악화될 수 있다.

그러면 무엇이 해답일까?

차 신부는 어려움의 순간에 주님의 이름을 더 불렀고, 또 그렇게 해야 한다는 것을 강조했다.

"내가 궁지에 몰렸을 때, 내가 절벽에 처했을 때 하느님께 기도하였더니 그분께서 나를 구원하셨다."

이렇게 신앙증거를 통하여 하느님의 영광이 드러나는 것이다. 주님께서는 우리에게 약속하셨다.

"환난의 날에 내 이름을 불러라. 내가 응답하리라"(호세 2,23 참조).

그러기에 우리가 어려울 때 불러야 할 이름은 '주님'이다.

또한, 어려울 때 바치는 기도의 힘을 차 신부는 강조하고 있다.

가까운 사례가 있다. 대한민국은 현재 글로벌 금융위기를 모범적으로 잘 극복한 나라가 됐다. 물론 아직도 해결해야 할 숙제가 많지만, 어쨌든 이는 일차적으로 경제인들을 비롯한 산업전사들의 수고 덕이다.

또한 나는 그 배후에 기도의 힘이 작용했다고 생각한다. 대한민국이 한참 위기일 당시, 성당과 교회에는 새벽미사와 주일미사에 참례하는 신도가 굉장히 많았다. 한국인의 기도 열기는 세계적으로 유별나고 두드러지지 않는가. 바로 이렇게 기도하고 연합하여 좋은 성과가 있게 된 것이다. 그러므로 기억하자. 우리가 기도할 때 하느님의 능력이, 하느님의 영광이 드러난다.

하지만 평소에 기도하지 않은 사람에게는 이렇게 주님을 부르는 것도, 기도를 드리는 것도 쉽지 않은 일일 것이다. 그러나 차 신부는 그럴수록 더욱 힘차고 뻔뻔하게(?) 기도해야 함을 강조하며 그들을 격려한다.

그런데 이 때 조심해야 할 것이 마귀의 장난이다. 간혹 마귀가 우리를 이렇게 붙잡는 것이다.

"야야, 평소에 기도하지 않던 녀석이 닥치니까 기도하는구나?"

이런 생각도 마귀가 꼬시는 거다. 급할 때 이것저것 따질 게 어디 있는가. 우선 기도해놓은 다음, 나중에 떼먹지 말고 감사드리면 된다. 그러니 '양심의 이름으로' 자꾸 주님 앞에 못 나오는 이들이 있다면, 그것은 마귀의 속삭임이니 괘념치 말자.

성령께서는 우리가 아무리 죄 중에 있어도 회개하여 주님께 나오게 하고, 희망을 갖게 하고, 기대하게 만든다. 반면, 마귀는 절망하게 만들고, 기도하지 않게 만들고, 무기력에 머물게 만든다.

뻔뻔해도 좋다. 어려울 때 주님 앞으로 나와서 주님의 이름을 부르자. 나중에 갚으면 된다. 그분의 영광을 드러냄으로써 말이다.[20]

시련과 고통이 다가올 때, 믿음이 있는 사람은 더욱 확실한 이름인 '주님'을 불러야 한다. 그러나 믿음이 부족하거나 평소에 기도를 소홀히 하는 사람은 더욱더 '주님'을 불러야 한다. 그것은 믿음을 더욱 크게 하는 데 유익하기 때문이다.

기도의 힘을 체험한 사람은 희망을 볼 것이고, 기도를 하면서 이미 기도의 응답이 이루어졌음을 확신하게 될 것이다.

지혜의 맥

지혜의 근원

차 신부의 강의를 듣고 저서를 읽다보면 놀랄 때가 많다. 그럴 땐 묻지 않을 수 없다.

'그 많은 지혜가 어디서 났을까?'

그는 이에 대해 겸손하면서도 조심스레 그가 아는 비밀을 말한다.

"나는 앞으로 내 지식으로 복음을 전하지 않겠습니다."

나도 공감한다. 강론대 앞에만 올라서면 준비한 내용이 바뀐다. 준비를 빵빵하게 잘해서 어려운 것과 못 알아듣는 어려운 주제, 다 준비해서 오르는데, 주님이 이렇게 속삭이신다. "그건 가르치지 마라, 쉬운 것만 가르쳐라." 그러시며 말을 자꾸 바꿔주셔서 강론이 달라진다.[1]

열심히 준비한 강론 원고를 펴 들고 강론을 하면, 자꾸만 주님께서 알려주시는 지혜가 솟아올라 그것을 입 밖에 내 놓을 수밖에 없다.

그는 항상 살아있는 강론을 했다. 사람들의 마음을 이해하고 공감하는 말로 다가갔으며, 뜨겁게 하느님의 말씀을 선포한 사제였다.

이런 차 신부는 강의와 강론 때만이 아니라, 자신이 갖고 있는 물음에 답을 구하는 과정에서, 그리고 왕성한 저술 활동 가운데 발견한 지혜를 다음과 같이 소개하고 있다.

하느님의 지식은 우주만상을 꿰뚫어 안다. 여기서의 결정적인 메시지는 "하느님은 지혜시다"라는 뜻이다. 이는 우리에게 큰 힘과 위로가 된다. 우리가 왜 답답한 것인가? 답을 찾는데 답을 모르기 때문이다. 왜 헤매는가? 답을 찾기에 그렇다. 그런데 하느님은 지혜시며 전지하시다. 그분께 답이 있다는 말이다. 그러므로 우리가 하느님을 믿으며 그분께 지혜를 구하면, 우리 명오를 열고 지혜를 내려주신다.

나는 아무리 바빠도 글을 쓸 때, 또 강의를 할 때 먼저 성호를 긋고 주님께서 지혜를 주시기를 청한다. 그러면 정말 책에서 얻을 수 없는 지혜가 술술 나온다. 책에서 인용하는 구절이나 사례도 있지만 실은 원천이 하느님에게서 직통으로 받은 지혜가 더 크다. 그러니 그리스도인이라면, 답답하다고 거짓 지혜 구하는 데 가지 말고 확률 게임하는 데 가지 말 일이다. 진정으로 답을 주시는 주님께 답을 청할 일이다.[2]

무슨 일을 할 때 먼저 주님께 지혜를 구하는 자세는 신앙인들에게 매우 중요하다. 그것은 자신의 뜻대로 하지 않고 그분을 자신의 중심에 모시고 그분 뜻대로 되길 바라는 자세이기 때문이다.

그렇게 주님께 지혜를 청하면 그분께서 우리의 명오를 열고 당신의 지혜를 꼭 주신다. 차 신부는 이 비밀을 굳게 믿었고, 그 힘으로 자신에게 맡겨진 소임을 다해 나간 것이다.

성령의 비추임

주님께서 주시는 지혜를 통해 차 신부는 많은 깨달음을 얻고 행복해 했다.

그는 유학생활 중 성경을 전공(석사)하고, 연구소장으로 많은 성경 관련 서적을 집필하면서 주님께서 주시는 지혜의 풍부함을 더 많이 느꼈을 것이라 생각한다.

우리는 왜 성경공부를 하는가? 성경공부를 할수록 우리는 자유를 얻는다. 우리는 왜 자꾸 책을 읽는가? 책을 읽고 점점 더 높은 지식과 지혜가 쌓일수록 우리는 자유로워진다. [...]

우리는 진리를 만나면 자유로워진다. 나에게도 고달픈 일들이 많다. 시련도 오고 역경도 오고 궂은일들도 오고 원하지 않은 일들도 생기고, 다 온다. 그런데 나는 이런 일들에서 그전보다 훨씬 자유로워졌다. 왜 그런가? 이는 내가 예수님 안에서 진리를 발견하고, 그럴수록 "에잇, 이거 뭐 다 지나가는 거다" 하며 점점 자유를 얻기 때문이다. 문제가 있고 십자가가 있어도 이렇게 외친다. "이거야말로 축복이다! 이거야말로 금덩어리고 복덩이다!" 이런 믿음이 있기 때문에 자유를 얻는 것이다.

차 신부는 성경에서 인생의 고달픈 문제들의 해법을 발견했다. 그리고 주님께서 주시는 진리를 통해 자유로움을 느꼈다. 성경은 우리가 쉽게 풀 수 없는 인생의 문제들에 대한 답을 주고 있기 때문이다.

그렇다면, 어떻게 성경이 주는 진리에 접근할 수 있을까? 차 신부는 무엇보다 진리에 대한 식별능력은 성령의 비추임을 통해 가능하다고 믿었다.

안타깝게도 우리에게는 무엇이 참되고 무엇이 진리인지를 식별하는 능력이 부족하다. 이것이 엄연한 우리 지성능력의 현실이다.

우리는 사실 안개 속을 헤매듯 뿌옇게 산다. 이 희미함을 밝게 비추어주시는 분이 계시다. 바로 성령이시다. 성령께서 비추시어 우리 "마음의 눈"(에페 1,18)을 열게 하시고, 파라클리토 성령께서 우리와 함께 해주시는 것이다. [...]

이 성령의 비추임으로 조금씩 밝게 볼 수 있게 되는 것이다. 궁극적인 깨달음은 여전히 먼 미래의 기약으로 유보한 채로 말이다. [...] 어쨌든 말씀이라는 등대와 성령의 비추임을 담보 받고 있는 그리스도교 신앙은 참으로 복되다.[3]

차 신부는 성경 안에서 진리를 발견했다. 그리고 성령을 통해 자신의 삶에서 희미하게 보이는 답들을 더욱 분명하게 보려고 노력했다. 이렇듯 성령의 비추임은 그의 지성과 마음 그리고 의지를 열어주는 열쇠로 작용했던 것이다.

성경에 답이 있다?!

차 신부의 저서들 중에는 성경에 관해 쓴 책들이 제법 많다. 그 이유는 사목신학(박사)을 전공한 그가 앞에서 언급한 것처럼 성경도 전공한 성서학자(석사)이기 때문이다.

그는 누구보다 성경에 대해 잘 알고 있었고, 다른 이들에게 보다 쉽게 하느님 말씀을 전하고자 노력한 사제였다. 또 여느 사제가 그렇듯 성경을 무척이나 사랑했다.

특히, 그는 누구나 성경말씀을 가까이 해 그 안에서 고달픈 인생 문제의 해답을 찾고 심오한 진리를 발견하여 행복으로 나아가길 바랐다.

차 신부는 우선 성경을 읽는 이유를 '만남'이란 단어로 설명하고 있다.

성경을 읽는다는 것은 하느님과의 가장 '진한' 만남을 이루는 작업이라 할 수 있다. 그러기에 말 그대로 '신나는 만남'인 것이다.

성경을 읽는다는 것을 차 신부는 신나는 만남으로 표현했다. 자칫 딱딱하고 지루하게 느낄 수 있는 성경 읽기를 새로운 관점으로 이끌고 있는 것이다. 차 신부는 이 만남을 구체적으로 네 가지 차원에서 설명한다.

성경을 읽으면 우리는 무엇보다도 '삶의 지혜'를 만난다. 우리 주변에는 아까운 시간을 쪼개어가며 성경을 읽는 이들이 있다. 무엇을 위해서일까? 바로 지혜를 얻기 위해서다.

성경을 읽으면 우리는 '번뜩이는 아이디어'를 만난다. 나는 수많은 아이디어를 성경에서 얻었다고 자부한다. [...] 어떻게 그것이 가능했을까? 바로 그 안에 무언가 특별한 '진주' 같은 것이 들어있었기 때문이리라. [...]

성경을 읽으면 또한 '인생 선배'들을 만난다. 말 그대로 수많은 옛 사람들과의 만남이 이루어진다. 우리는 그들을 만나 그들의 삶을 보면서 교훈을 얻을 수 있다. [...] 성경의 인물들은 하나같이 우리들 인생의 선생님인 셈이다. 물론 '타산지석'이라는 말도 있듯, 실패한 인물들 또한 우리의 선생님이 될 수 있다. [...]

마지막으로, 성경을 읽으면 우리는 '나 자신'을 만난다. 희한하게 자신과 만난다. "이게 나구나. 내가 몰랐던 내가 여기 있구나......" 하고 깨닫는 순간이 온다.

그저 평범한 존재인 줄 알았던 내가 '참 소중한 존재'라는 깨달음을 얻는다. 그와 동시에 "내 뿌리가 여기 있구나" 하며 과거의 내 모습을 만나고, "지금 살고 있는 내 본모습이 이런 모습이구나" 하면서 현재의 내 모습을 만나며, 나아가 "나는 무한한 가능성을 지닌 존재구나"라는 것을 인식하며 미래의 내 모습을 만나는 것이다. [...]

독자들은 어떠한 느낌이 드는가? 떨리는 마음으로 아마 이렇게 소리칠지도 모른다.

"어! 이게 바로 나야. 하느님이 나를 이렇게 표현해 주셨어. 나한테 연애편지를 쓰셨어! 성경은 하느님이 우리에게 보내 주신 연애편지다. 사랑 고백이다.[4]

차 신부는 우리가 성경을 통해 나를 만나고 지혜를 얻으며, 궁극적으로 하느님과 사랑을 나누길 원하지 않았을까.

거룩한 독서

성경의 내용이 좋다는 것에 많은 이들이 공감할 것이다. 그러나 성경을 마음에 새기고 몸에 익히기까지 훈련하는 것은 쉽지 않다. 그래서 차 신부는 성경을 보다 깊게 제대로 읽는 방법을 알려 준다.

당신은 예수님 말씀이 당신 안에 살아 열매를 맺기를 바랍니까? '거룩한 독서'(라: Lectio Divina) 곧 성독(聖讀)을 권합니다. 이는 성서를 읽을 때 단순한 '글자' 차원을 넘어 하느님의 생생한 말씀, 더 나아가 그 말씀을 하느님 자체로 받아들이게 되는 성서 묵상법입니다. [...] 이 성서 읽기 방법은 신약성서 저자들과 교부들을 통하여 후대에 전해져 내려왔습니다. 오늘날에는 '거룩한 독서'를 체계화한 귀고 2세의 권고를 따라 읽기(lectio), 묵상(meditatio), 기도(oratio), 관상(contemplatio) 등 네 단계로 진행합니다.

먼저 당신은 성서를 읽고(lectio) 그 가운데 마음에 와닿는 구절을 찾아냅니다.

그 다음 마치 소가 여물을 되씹으면서 소화시키듯이 그것을 계속 되뇌(meditatio)입니다.

그러다 보면 말씀이 마음속에 완전히 스며들게 되고, 그 말씀을 통해 현존하시는 하느님께 자연스럽게 기도(oratio)를 바치게 됩니다.

이 기도가 깊어지면 하느님과 일치를 이루는 관상(contemplatio)으로 발전하게 됩니다.

차 신부는 성경을 읽는 방법으로 '거룩한 독서'(Lectio Divina)를 권했다. 그러면서 다음 방법도 덧붙인다.

당신이 이 단계들을 거치면서 주님 앞에 머무는 것으로 족합니다. 억지로 생각하거나 말을 할 필요가 없습니다. 사랑에는 말이 필요 없다는 것을 당신은 압니다. 침묵 가운데서도 하느님께서는 당신을 사랑하실 것입니다. 고요히 주님 안에 머무십시오. 인내로이 주님을 기다리십시오.[5]

이 방법에서 무엇보다 중요한 것은 말씀을 읽으며 주님 앞에 머무는 것이다. 조용한 가운데 말씀을 통해 주님 사랑을 느끼는 것이 이 방법의 핵심이다.

힘을 빼고 주님이 이끌어 주시는 말씀으로 천천히 들어가 보는 것은 어떨까.

내가 만난 레마

성경을 읽을 때 우리는 말씀을 어떻게 받아들여야 할까?

차 신부는 여기에 두 가지 길이 있다고 말한다.

하나는 말씀을 로고스, 곧 진리로 만나는 접근법이다. 여기서 '말'이라는 것은 지혜, 말씀, 진리 등을 포함하는 개념으로 설명된다. 문제는 아직 나와 관계를 맺지 않은 말씀이라는 것에 있다.

다른 하나는 말씀을 '레마'(Rema), 곧 개인적인 메시지로 만나는 접근법이다. 이는 차 신부에 의하면 '하느님께서 손수 어떤 특정인에게 주신 말씀'을 뜻하는데, 하느님께서 아브라함이나 야곱, 모세 등의 인물들에게 친히 주신 말씀들로 이해할 수 있다.

그러면 차 신부가 만난 레마는 어떤 것일까? 다른 말로, 어떤 성경 말씀 속에서 그는 주님을 만났을까?

대학교 2학년 때, 나는 기숙사에서 개신교 선배들과 이른 아침에 만나 소위 '큐티'(QT: quiet time)를 하곤 했다. 그때 나에게 로마서의 한 말씀이 레마로 '탁!' 다가왔다.

"여러분의 몸을 하느님 마음에 드는 거룩한 산 제물로 바치십시오.

이것이 바로 여러분이 드려야 하는 합당한 예배입니다"(로마 12,1).

이 말씀이 가져온 두근거림은 사뭇 달랐다. "왜 내 가슴이 이렇게 두근두근 거리지?" 하고 그 말씀을 피하고만 싶었다. 산 제물로 바치라니, 조금 과하다 싶었기 때문이다. 그래서 안 읽으려고 건너뛰려고 했는데 레마는 도망갈 길도 없다. 이 말씀이 나의 가슴을 막 고동치게 하고, 이리 몰고 저리 몰고 가더니, 결국 신학교에 들어가도록 몰지 않았는가. [...]

한번은 내가 한 오 년 동안 열심히 기도했는데 하느님이 침묵하셨던 적이 있다. 하나의 기도제목을 가지고 나름대로 꼭 이루고 싶은 마음으로 기도했는데 결국 이루어지지 않았던 것이다. 그 시기가 나에게는 혹독한 시련기였다. 이러지도 못하고 저러지도 못하다가 "정말 하느님이 계신 겁니까? 안 계신 겁니까?"라며 따져 묻기도 했다. 그러던 중 어느 날 응답이 왔는데 그때 나에게 스쳐온 말씀이 바로 레마였다.

"참새 다섯 마리가 두 닢에 팔리지 않느냐? 그러나 그 가운데 한 마리도 하느님께서 잊지 않으신다. 더구나 하느님께서는 너희의 머리카락까지 다 세어 두셨다"(루카 12,6-7).

"도대체 내 기도를 들어주시는 거예요 안 들어주시는 거예요? 기도하는 것은 알고 계시기나 한 거예요?"라고 한탄하고 있을 때, 하느님께서는 이렇게 레마의 말씀으로 위로를 주셨던 것이다.

"나는 네 머리카락까지 다 세고 있었다. 네 한숨소리까지 다 세고 있었느니라. 밤에 뒤척이면서 몇 번이나 한숨 쉬었는지까지 너네들은 다 기억 못해도 난 다 세어두고 있었다."

이 말씀이 레마로 온 뒤, 얼마나 큰 힘이 되었는지 모른다.[6]

"믿음은 들음에서 오고 들음은 그리스도의 말씀으로 이루어집니다"(로마 10,17).

믿음은 들음에서 온다. 성경을 읽고, 신앙 체험담을 자꾸 들으면 믿음이 저절로 생긴다. [...] 이렇게 하느님 말씀을 듣다 보면 반드시 '나'를 위해 건네시는 말씀인 '레마'를 만난다. [...] 우리 하느님은 인류 전체를 통째로 상대하지 않으신다. 각자 한 사람 한 사람씩을 상대하시어 '나'를 위해서만 따로 말씀을 준비하신다. 이것이 하느님 사랑이다.

하느님의 사랑은 구체적이다. [...] 일대일 사랑이시다. 그러니 성경을 읽다가 감동이 오는 말씀이 있다면, 그 말씀을 붙들고 힘내서 살 줄 알아야 한다. 그게 바로 주님께서 '나'에게만 건네시는 말씀이며 이 또한 믿음이다.[7]

레마를 통해 느낄 수 있는 것은 '말씀의 힘'이다. 더 나아가 말씀 속에 살아 숨 쉬는 하느님의 사랑이다. 차 신부는 말씀을 통해 하느님의 사랑을 자주 체험하고 그 사랑으로 살아왔던 것이다. 그 사랑의 힘은 무엇보다 강력하며, 삶을 기쁘고 행복하게 살아가게 하는 원동력이 된다.

7대 신앙 유산

차 신부가 여러 권의 신앙 서적을 집필하면서 전하고 싶었던 것은 무엇일까?

그의 저서들을 읽다가 문득 『사도신경』(2012) 뒷부분에 눈길이 멈췄다. 그 이유는 이곳에 차 신부가 그동안 작업했던 모든 것의 청사진이 들어 있었기 때문이다.

그가 책을 집필하는 데에는 분명 어떤 이유와 순서가 있었을 것이라 예상했지만, 이 사진 속에서 그의 생각을 뚜렷하게 엿볼 수 있었다.

차 신부는 이것을 '7대 신앙 유산'이라 일컬었다. 성경과 교리를 통해 그는 가톨릭교회의 전체 맥을 짚고 싶어 했고, 꼭 필요한 가르침을 알기 쉽게 전하고 싶어 했다.

그는 7대 신앙 유산을 다음과 같이 설명하고 있다.

모든 것의 기본인 '기초교본'은 '성경'이다. 성경의 메시지는 무엇인가? 20세기 최고의 신학자 중 하나로 꼽히는 칼 바르트가 미국에서 특별 강연을 하던 중 한 신학생으로부터 이런 질문을 받았다. "박사님의

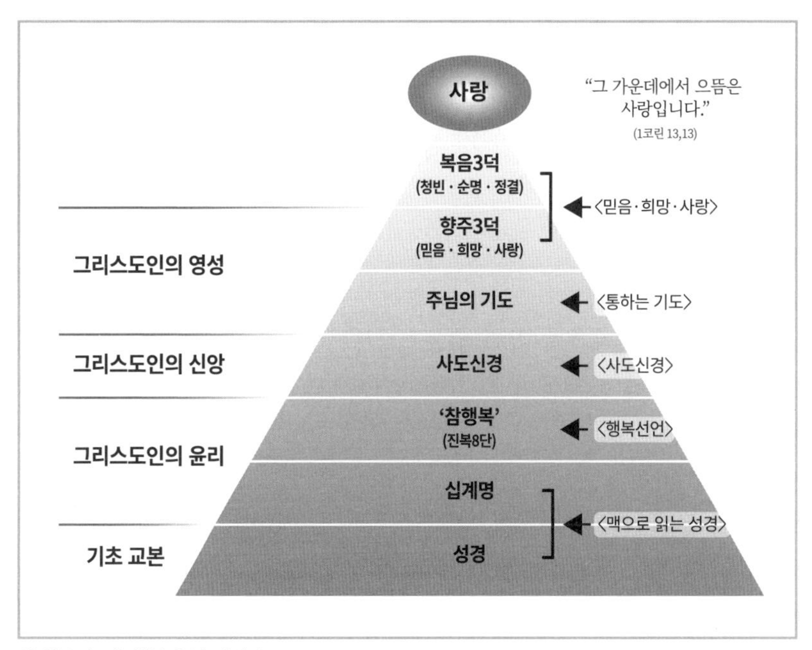

차 신부의 7대 신앙 유산 피라미드

마음을 사로잡은 가장 큰 진리는 무엇입니까?" 그의 대답은 짧고 분명했다. "예수님께서 나를 사랑하십니다." 잠시 후 그가 다시 말을 이었다. "왜냐하면 성경이 내게 그렇게 말하고 있기 때문입니다." 성경은 '나'를 향한 하느님의 사랑 고백이라는 말이다.

이 성경을 깔고 '십계명'이 주어졌다. 성경이 하느님 사랑의 고백이라면 십계명은 이 사랑을 구현하도록 도와주는 가이드다. 그런데 십계명 하면 조금 짐스럽게 느껴진다. [...] 그런데 막상 십계명 안으로 들어오면 홀가분하다. 오히려 세상의 짐을 다 내려놓고 사는 방법을 가르쳐주

는 것이 십계명이다. [...]

신약으로 넘어오면 예수님이 십계명을 아주 밀도 있게 풀어주신 대목이 있다. 바로 '산상수훈'이다. [...] 그러면서 그것의 절정이 '참행복'임을 말씀하셨다. 이 참행복의 포인트는 "누려라"다. 이미 상은 차려져 있다. 누리기도 바쁘다. 구하러 다니지 말고 찾으러 다니지 말고 가지려고 하지 말고 싸우지 말고 있는 거 누려라. [...] 참행복은 신약 백성의 윤리며, 십계명 풀이의 완성이다.

'사도신경'은 그 위에 기본으로 깔려 있는 그리스도인의 신앙이다. [...]

그리스도인의 기도 교과서는 '주님의 기도'다. 『통하는 기도』라는 제목으로 푼 주님의 기도의 핵심 포인트는 하느님을 "아빠"라고 부르는 데에 있다. [...] 그러니 하느님을 "아빠"라고 부르면 다 이루어진 셈이다.

그리고 주님의 기도를 가만히 뜯어 보면 '향주3덕'(믿음·희망·사랑)이 속해 있음을 알 수 있다. 우리는 향주3덕과 주님의 기도를 깔고 영성생활을 한다. '향주'는 주님을 향한다는 뜻으로, 위를 향한 덕이다.

이 향주3덕을 더 본격적으로 밀도 있게 올인해서 살겠다고 선택한 삶이 '복음3덕'이다. 복음3덕은 청빈·순명·정결로 믿음의 완성이 '청빈', 희망의 완성이 '순명', 사랑의 완성이 '정결'이다. 이 세 가지는 그리스도인의 영성이다.

피라미드의 마지막은 '사랑'이다. 이 지점에서 하느님의 사랑과 인간의 사랑이 만난다. 밑에서부터 올라가서 이 사랑 안에 딱 들어가면 하느님의 '사랑'이 마주 오신다. [...]
이로써 신앙의 절정에 이른 셈이다.[8]

차 신부는 이 신앙 유산을 많은 사람들이 깨달아 알고 자녀들에게도 대물림되기를 원했다. 되도록 쉽고 친근하게 이 유산들을 표현함으로써 그 안에서 하느님 사랑을 느끼고 능동적으로 실천하길 원했던 것이다.

그럼 우리는 자녀들에게 무엇을 남겨줄 것인가.

셰마 이스라엘

차 신부는 신앙의 유산을 이해하고 기억하며, 발전시켜 나가는 자세를 '셰마 이스라엘'에서 발견했다. 유대인들이 매우 중요하게 여기는 이 '셰마 이스라엘'은 그들이 가진 하느님께 대한 믿음의 충실성에 바탕을 두고 있다.

차 신부는 이 방법을 통해 인간 계발의 원리를 발견했고, 더 나아가 신앙 전달의 방법도 깨달았다.

오늘날도 모든 유다인들이 매일 아침, 저녁 최소 두 번 낭송해야 하는 '셰마 이스라엘' 전통은 구약 성경 신명기 6장의 성구에서 비롯되었다.

"이스라엘아 들어라. 너희는 마음을 다하고 목숨을 다하고 힘을 다하여 주 너희 하느님을 사랑해야 한다. 너희는 [...] 이 말을 너희 자녀에게 거듭 들려주고 일러 주어라"(신명 6,5-7).

이 명령의 핵심은 '마음', '목숨', '힘'을 다하는 삶의 자세다.

여기서 '마음'은 히브리어로 '레브'라 하는데 이는 감성을 다하라는 말이다. 곧 모든 정(情)을 합해서 하느님을 사랑하라는 말이다.

'목숨'은 히브리어로 '네페쉬'라고 하는데 이는 영혼을 다하라는 말이다. 그런데 영혼의 핵심적인 기능은 '의지'다. 이는 곧 모든 의(意)를 다 해서 하느님을 사랑하라는 말이다.

'힘'은 히브리어로 '메호드카'라고 하는데 이는 생각의 힘을 다하라는 말이다. 곧 모든 지(知)를 모아서 하느님을 사랑하라는 말이다.

또 하나 여기서 놓치지 말아야 하는 것은 바로 그 다음에 이어지는 '거듭 거듭'이라는 어구다. 이는 습관화, 체화, 인격화를 의미한다. [...]

이러한 처방에는 좋은 습관을 들이는 것이 성공과 행복의 관건이 된다는 예지가 서려 있다. 평소 '마음'과 '목숨'과 '힘'을 다하여 하느님을 사랑하는 것이 습관화 되면, 어느 분야에서도 최선의 결과를 이끌어 낼 수 있다.[9]

'셰마 이스라엘' 방법 가운데서도 차 신부는 특히 '암송'을 강조했다. 그러면서 현대에 와서 이 암송 방법이 과거의 전유물로 여겨지는 것에 안타까움을 드러내기도 했다.

현대 교육은 옛적의 '암송' 방식을 지양하고 '이해' 위주로 시행되고 있다. 이는 과연 더 나은 방법일까? 그렇지 않다. '이해'를 강조하는 것까지는 좋으나 '암송'을 폐기하는 것은 대단한 손실이다.[10]

그럼 차 신부가 구체적으로 생각하는 신명기 6장 5-7절의 암송 효과는 어떤 것이었을까? 또, 그 방법은 아직도 유효할까?

이 구절의 암송효과에 주목한 것은 내가 처음이다. [...] 석사학위를 성서분야에서 취득한 나에게는 어느 날 영감처럼 '아 이거 탁월한 교육법인데!'하는 깨달음이 불쑥 들었다. 곧바로 어원분석에 들어갔더니 지혜의 금맥을 발견하게 된 것이다. 순간 무릎을 탁 쳤다.

"와우, 이거 천기누설이다! 그러니까 '마음'은 감성(感性)을 뜻하고 '목숨'은 의지(意志)를 말하는 것이고 '힘'은 지성(知性)을 가리키는 것이니, 이야말로 전인적 투신을 뜻하지 않는가!"

"게다가 '거듭 거듭'이라는 단어와 '다하여'라는 단어는 또 얼마나 영양가 있는 명처방인가. 가히 자기계발의 비방(秘方)이라 해도 무색할 것이야."

한번 상상해 보라. 한 민족이 대를 물려가면서 인간존재의 핵심인자를 활성화시키는 단어들을 흡사 주문처럼 매일 외운다! 그러면 어떤 일이 일어날까? 모르긴 모르되 그 금쪽같은 단어들이 그 민족의 유전자 속에 DNA로 구조화 되어 자동적으로 육체와 의식에서 살아 움직이지 않을까. [...]

이런 점에서 나는 이 '셰마 이스라엘'이야말로 가장 완벽한 인성 계발 원리이자 모델이며, 프로그램이라고 생각한다.[11]

이 성경 구절과 함께 차 신부의 삶을 떠올려 본다. 그는 '셰마 이스라엘'을 어쩌면 유대인들보다 더 철저하게 암송했고 묵상했으며, 체화시킨 사람이라 생각한다. 본인이 이처럼 확신에 차서 말을 할 때는 그만큼 훈련을 거듭했고, 그 효과를 체험한 것이 아닐까.

그런 의미에서 '셰마 이스라엘' 방법은 오늘날 우리에게도 시사하는 바가 크다.

유대인의 자녀교육

차 신부는 신앙 교육에도 매우 관심이 높았다. 특히 성경 안에서 지혜를 얻는 것과 이를 자녀들에게 교육하는 것을 중요하게 생각했다. 자연스레 유대인들의 자녀 교육법에도 관심이 많았다.

다음의 방법은 앞서 언급한 신명기 6장 5절의 말씀을 어떻게 대하고 활용해야 하는지에 관한 구체적인 실천법이라 할 수 있다.

유대인의 자녀교육에서 놓치지 말아야 하는 것이 '거듭거듭'이라는 어구다.

"너희는 집에 앉아 있을 때나 길을 갈 때나, 누워 있을 때나 일어나 있을 때나, 이 말을 너희 자녀에게 거듭 들려주고 일러 주어라"(신명 6,7).

우리 삶에 결정적으로 중요한 말씀은 골수에 새겨지고 혈관 속을 흘러야 한다. 그러기 위해서는 '거듭거듭'의 길밖에 없다. 그러면 습관화, 체화, 인격화가 절로 이루어지게 되어 있다. 성경은 이 '거듭거듭'을 실행하는 방편으로 말씀을 적어서 문설주에도 매달고 이마에도 붙이고 손목에도 차고 옷술단에도 걸으라고 권한다(신명 6,8-9 참조).

유대인들은 이 분부를 곧이곧대로 받아들여 오늘날까지 실천하고 있다. 유대인들은 오늘날도 이 말씀을 매일 아침, 저녁 최소 두 번 낭송한다. 그리고 이 말씀을 양피지에 써서 작은 케이스에 넣고 문설주에 매다는 것을 전통으로 삼아 왔다. 이것을 히브리어로 '메주자'라고 한다.

오늘도 유대인들은 문을 드나들 때 이 메주자를 만지면서 하느님의 말씀을 거듭거듭 마음에 새기고 있다. 세계 어느 지역에서 살건 유다인은 새로 이사를 하면 가장 먼저 하는 중요한 행사가 바로 현관문 오른편에 이 메주자를 다는 것이다. 이 메주자는 7년에 한 번 바꾼다고 한다.[12]

차 신부는 유대인들의 자녀 교육법에서 그들이 가진 충실함을 눈여겨보았다. 어찌 보면 융통성 없어 보일 수 있지만, 그 충실함이 수많은 세계의 석학들을 배출한 원동력은 아니었을까. 차 신부는 우리의 신앙도 이와 같아야 함을 강조한다.

신앙의 대물림

차 신부는 교회의 사명에서 '선교'의 비중을 높게 뒀다. 왜냐하면 선교하지 않는 교회는 쇠퇴의 길을 걸을 수밖에 없기 때문이다.

통계적으로 한국천주교회의 40세 이전 연령층의 신자 증감은 마이너스(−) 성장세를 보이고 있다. 더 안타까운 현실은 탈교회 현상이 가속화되고 있다는 사실이다. 유아세례와 첫영성체의 수가 급격히 하락하고 있으며, 초중고 주일학교의 운영은 갈수록 어려움을 겪고 있다.

또한, 고령화 추세가 사회의 그것보다 더 빠른 속도로 진행되고 있음도 부인할 수 없는 현실이다. 이런 상황 속에서 차 신부는 자녀들의 신앙 교육에 대해 어떤 대안을 갖고 있었을까?

파국을 막을 수 있는 유일한 길은 '신앙의 대물림'을 위한 전교회적인 방안을 강구하여 시급히 '젊은 피'를 수혈하는 것이다. 유대교는 민족종교라는 특성상 전도를 할 수 없다. 그럼에도 불구하고 수 천 년 동안 사멸되지 않고 끄떡없이 버텨왔다. 신앙을 대물림하는 비법이 있었기 때문이다. 그 비법은 다름 아닌 '셰마 이스라엘'(너 이스라엘아 들어라)을 목숨처럼 여기고 문자 그대로 실행하는 것이었다.

박해시대 가톨릭교회가 존속할 수 있었던 원동력도 바로 신앙의 대물림이었다. 오늘날 가톨릭교회의 위기는 교회가 신자들에게 이 원리의 중요성을 각인시키는데 실패했기 때문이다. 간혹 "부모들이 가정에서 자녀의 신앙교육에 소홀히 하는 것이 문제 중의 문제다"라고 말하는 사목자들을 만난다. 옳은 말이다. 하지만 교회(사목자)에게도 책임이 있다. 신자들에게 그러한 사명을 지속적으로 일깨우지 못했기 때문이다.

모세가 엄마 요게벳의 젖을 먹으며 받았던 몇 년간의 히브리 종교교육은 그의 핏속에 이후 약 40년에 이르는 에집트 궁중교육의 효력을 부정할 만큼 강력하게 히브리인으로서의 신앙정체성을 심어주었다. 개신교에서는 '모유전도법'이라는 이름 하에 엄마 품에서의 신앙교육의 중요성을 강조하여 실효를 거두고 있다. 가톨릭교회는 "개신교를 모방하고 싶지는 않다"며 쓸 데 없이 자존심을 내세우지 말아야 한다. 이 원리는 하느님께서 가르쳐주신, 심지어 명령하시기까지 한, 탁월한 신앙교육의 지혜이기 때문이다.

유아세례, 첫영성체, 주일학교, 견진성사 등을 꼬박 챙겨주는 것은 '신앙 대물림' 교육원리를 터득한 다음의 구체적인 방안일 따름이다. 그리고 결국 20-30대 신앙의 양상은 신앙대물림 교육의 성패에 따른 결과에 지나지 않은 것이다.[13]

교회의 위기 현실 속에서 차 신부는 '신앙의 대물림'이라는 교육원리를 대안으로 제시했다. 이 대안은 단순히 교회에 자녀들을 맡기는 방식으로 해결되는 것이 아니다. 가정과 교회 안에서 양방향 소통과 작업이 이루어져야 그 효과를 얻을 수 있을 것이다.

이 방법은 자녀 신앙교육의 소중함과 함께 젊은 세대들이 다시금 주님께 돌아와 교회 안에서 행복하길 바라는 차 신부의 간절한 마음이 녹아들어간 방법이라 여겨진다.

애정이 전제

우리나라 부모들의 교육열은 가히 세계 최고라 말할 수 있다. 그것은 자녀 교육에 대한 관심과 자녀들에게 더 좋은 것을 주고 싶은 마음에서 비롯된 것이라 할 수 있다.

하지만 자녀들에게 좋은 것을 주려는 행동이 때로는 좋지 못한 결과를 불러올 때도 많이 있다. 습관적으로 하는 부정적인 말과 행동들, 그로 인한 상처는 성장하는 자녀들에게 치명적일 것이다.

차 신부는 오늘날 부모들에게 이에 대해 두 가지 주의점을 제시하고 있다.

첫째, 파괴적인 비판이다. 이는 바꿔 말해서 대안 없는 비판이라고 할 수 있다.

평균적으로 부모들은 자녀들을 한 번 칭찬할 때 여덟 번 꾸중한다고 한다. 만일 "너는 도대체 왜 그리 문제가 많니" 또는 "너는 정말 믿을 수가 없어"와 같은 말을 듣고 자란 아이들은 자신이 그런 사람이라는 것을 무의식중에 인식하게 된다. [...]

우리는 대안이 있고 방법이 있고 길이 있는 비판을 해야 한다. [...] 한

마디로 애정을 갖고 타이르라는 것이다. 그런데 나만 애정을 확인하는 것이 아니라 타인이 그 애정을 확인할 수 있는 기회를 먼저 주어야 하는 것이 중요하다.

나는 KBS TV특강을 연달아 8회 하고 연말에 두 차례 더 강의한 적이 있었다. 그때 여름에 만났던 방청객 중 한 분을 연말 강의 때 또 만났는데 그분이 나를 굉장히 반가워하며 다음과 같이 말했다.

"신부님 덕분에 딸과 굉장히 친해졌어요. 신부님이 그때 코치해 주셨잖아요. '먼저 애정을 확인시켜 주고 그 다음에 좋은 말을 해 줘라' 하구요. 딸과 사이가 나빴었는데 돌이켜보니 제가 맨날 무작정 야단만 쳤던 거예요. 그 이후 방법을 바꿔서 딸에게 하고 싶은 말이 있으면 먼저 안아주고 '엄마가 너 사랑하는 거 알지?' 하며 먼저 딸과 교감을 해요. 그런 뒤 하고 싶은 말을 했더니 딸아이도 곧잘 받아들이더라구요."

나는 이에 대한 깨달음이 굉장히 크다. 기억하자. 애정이 없으면 비판할 자격이 없다.

둘째, 사랑의 결핍이다. 이는 그 자체로 이미 상처가 된다.

자녀들은 부모님께 야단을 맞아서 상처받는 것이 아니다. 관심이 없을 때 상처가 된다. 이는 부부 사이도, 자식이 부모를 대할 때도 마찬가지인 것이다.[14]

애정이 없는, 곧 사랑이 결핍된 부모의 행동(타이름)은 자칫 자녀들을 부정적인 감정에 휩싸이게 만들고 그들에게 반항심을 불러일으키며, 언어폭력으로도 여겨질 수 있다.

부모가 자녀를 생각하는 안타까운 마음이야 당연하겠지만, 차 신부는 사랑 표현도 부모와 자녀가 서로 주고받는 것임을 일깨워 주고 있다. 그럴 때 부모의 진정한 마음이 전달될 것이고 부모가 하는 타이름의 목적도 이해하게 될 것이다.

바라봄의 법칙

부모들이 자녀를 교육할 때 소위 말이 앞서는 상황은 자주 벌어진다. 본인은 그렇지 않다고 부정할지 모르지만, 위급할 때면, 어느덧 자녀들에게 큰 소리와 잔소리를 하게 되는 경우가 많다.

차 신부는 자녀 교육에서 '바라봄의 법칙'을 강조했다.

그러면 이 법칙에서 바라봄이라는 것은 무엇을 의미할까?

'바라봄'은 우리 가정에서도 매우 중요하다. 백날 잔소리해 봤자, 한 번 보여준 것만 못하다. 이는 보는 것이 우뇌의 영역이고, 듣는 것이 좌뇌의 영역이기에 그렇다. 빙산이 하나 있다 치면, 좌뇌는 수면 위에 떠 있는 빙산의 일부분에 해당하고, 우뇌는 수면 밑에 가라앉은 빙산의 대부분에 해당한다. 즉, 우뇌의 잠재의식, 무의식이 좌뇌의 의식보다 더 강력한 영향력을 가진다. 그러기에 부모가 보여주는 대로 자녀들은 아웃풋이 나오게 되어 있다. [...]

"공부 좀 해라" 하고 매일 잔소리할 필요도 없다. 부모가 먼저 열심히 책 읽으면 애들도 가서 책 읽고, 공부한다.

"기도 좀 해라" 하고 말해 봤자 소용없다. 부모가 먼저 신이 나서 기도하는 모습 보여줘야, 자녀들도 기도한다. 이를 두고 어떤 이들은 이렇게 의문을 제기할지도 모르겠다. "주님께서는 골방에 가서 혼자 기도하라고 하셨잖아요?" 우스갯소리지만, 요새는 주님께서 그 말씀을 취소하셨다. 왜인가? 하도 자녀교육이 안 돼서 주님께서 이렇게 말씀을 바꾸셨다.

"기도할 때는 자녀들 보는 데에서 하라."

그래야 우리 아이들이 보고 배우는 것이다.

이것이 바로 바라봄의 법칙, 희망의 법칙이다.[15]

자녀들은 부모 눈치를 보는 데에는 선수다. 특히, 부모의 말과 행동이 다른 모습을 그들은 기가 막히게 기억한다. 그래서 차 신부는 자녀들이 부모의 좋은 표양을 바라보게 만들라는 해법을 제시한다.

자녀에게 좋은 교육을 하기 위해서는 부모의 좋은 모습이 자녀들의 뼛속까지 각인되도록 '보여주는 것'이 우선이다.

하느님의 교육학

교육학에서 대상의 수준에 맞춰 교육하는 것은 중요한 방법이다. 그러면 신앙교육에선 어떨까?

차 신부는 교육에 관심이 많았다. 특히 신앙교육의 전문가였다. 그가 관심을 갖고 강조한 방법론이 있는데, 바로 '하느님의 교육학'이다.

그의 설명을 들어 보자.

하느님의 교육학은 어떤 것인가?

하느님은 안 되는 사람 등 떠밀지 않으신다. 받아들일 분위기를 만드신 다음, 사명을 주시고 등을 떠미신다. 제자를 양성하실 때도 처음엔 제자들에게 "와라" 하고 꼬드기셨다. 실제 예수님은 제자들을 풍요롭게 하셨다. 다 주셨다. 그러곤 제자들이 충분히 세상 속으로 갈 수 있을 때 "가라" 하고 말씀하셨다.

중간에 연습도 시키셨다. 초반부터 십자가 얘기 안하셨다. 알아들을 귀가 열릴 때쯤, 십자가 얘기를 하셨다.

"내가 수난 받고 십자가를 지게 될 거야. 그러니 너희도 십자가를 지고 따라야 돼."

그때는 제자들도 알아들을 수 있었다.

우리의 신앙생활은 이처럼 단계가 있다. 은총을 알고 하느님께 감사드릴 줄 알면, 십자가 지지 말라 그래도 알아서 진다. 복음 전하지 말라고 해도 가서 복음 전한다. 이것이 예수님의 교육학이고 하느님의 교육학이다.

하느님은 당신의 교육학으로 모든 것을 우리의 눈높이에 맞춰주시고 져주신다. 그러기에 가당치도 않은 우리의 기도도 모두 들어주신다.[16]

하느님의 교육학(혹은 예수님의 교육학)에는 단계별 학습법이 존재한다. 무엇보다 제자들의 눈높이를 고려했다. 그래야 그들이 알아들을 즈음에 그들이 해야 할 일, 곧 그들에게 맡겨진 사명을 능동적으로 수행할 수 있기 때문이다. 하지만 이 교육법에서 가장 특별한 것은 바로 하느님의 인내와 사랑이다.

차 신부가 말하고 있는 하느님의 교육학을 우리 자녀들에게도 사용해보면 어떨까.

숨겨진 에너지

차 신부 강연을 보면, '저 작은 체구에서 어떻게 저렇게 큰 힘이 나올까?' 하는 감탄을 하면서 동시에 의문도 갖게 된다. 그만의 비밀이 존재하는 것은 아닐까?

나는 대학 때, 그리고 신학교 시절 늘 축구 대표로 뽑혔다. 그런데 고백하거니와 나는 축구의 기본기가 안 되어 있는 사람이다. 기초를 배우지 못했기 때문에 드리블을 잘 못한다. [...] 그런데 학창시절 나를 아는 사람들은 다 내가 축구를 잘했다고 회상한다.

왜 그랬을까? 말 그대로 '미쳐서' 뛰었기 때문이다. [...] 그 덕에 부족한 실력이 감쪽같이 커버되었다.

차 신부의 숨겨진 에너지는 고도의 집중력에서 나타난다. 이는 그가 강연을 하거나 집필을 할 때도 두드러지게 드러난다.

지금도 그런 나의 모습은 여전하다. 평소 기운이 없다가도 강연대에 올라가 입을 열기 시작하면 목소리가 커진다. 뭘 하든 순간에 미쳐서 몰입한다. 또 나는 건강한 몸이 아님에도 불구하고, 연구할 때는 책상에 한 번 앉으면 열 시간이 넘게 시간 가는 줄 모르고 몰두하곤 한다. 시간이 한참 지난 다음에야 "벌써 밥 두 끼나 굶었네" 할 때가 있다. 밥 굶는 데는 명수인 나는, 이 또한 주님께서 내게 주신 은혜라 생각한다. 걸핏하면 굶기 일쑨데 배가 안 고프다. [...] 왜 그런가? 미쳤기 때문이다. 추구하는 목표가 신나니까 그런 것이다.

이 이치를 깨달으면 일상에서 많은 문제가 해결된다. [...] 혹, 자녀들이 공부하다가 스트레스 받는다고 하면 이렇게 말해 주면 어떨까.

"너의 분명한 목표를 생각해봐. 목표가 없다면 목표를 가져보는 거야! 신나는 목표가 있으면 공부도 재미있어 질 거야."

한번 스스로에게 물어보자.

'나'로 하여금 미치게 하는 목표가 있는가? 그렇다면 '나'는 이미 행복한 사람이다.[17]

차 신부는 삶에서 그리고 그가 하는 모든 일에 뚜렷한 목표를 갖고 행하는 사람이었다. 그런 목표는 그를 몰입하게 만들었고 그의 표현을 빌리자면, 그를 '미치게' 만들었다. 그의 몰입은 어느덧 그가 목표하는 바를 향해 쉴 새 없이 달려가고 있었다. 그는 그것으로 이미 행복한 사람이었다.

그의 이런 삶의 방식은 삶의 방향과 목표를 잃어가는 현대인들에게 목표의 소중함을 다시금 일깨워 주는 듯하다.

핵심잡기

몰입과 함께 중요한 것은 해당 분야의 핵심을 파악하는 것이다. 차 신부는 논문 제자들에게도 자료의 홍수 속에서 허우적거리지 말고 정확히 그 자료들이 말하고자 하는 핵심에 집중할 것을 강조하곤 했다.

차 신부의 다음 체험은 그 중요성을 다시금 생각하게 한다.

오스트리아 비엔나대학에서 박사 학위 통과 시험을 치르던 당시의 이야기다. 나는 학위 취득을 위해 전공서적 30여 권을 깨알 같은 글씨로 요약해가며 빈틈없이 준비하였다. 그런데 구두시험 현장에서 내가 받은 질문은 그에 비해 너무도 파격적이었다. 내 논문 지도 교수이며 시험 주심이기도 했던 P.M. 쮸레너 교수는 이런 질문을 던졌다.

"그 책에서 말하고자 하는 것을 단 한 단어로 말해보시오."

기억이 다 나지는 않지만 이런 질문도 있었다.

"오늘날 전 세계를 지배하고 있는 현상들의 배후에 작용하고 있는 결정적인 가치는 무엇이라고 생각합니까. 단 한 단어로 말해보시오."

"……."

당황스럽기도 하고 혼돈스럽기도 한 질문들이었다. 나는 마치 '스무

고개'를 풀듯이 진땀을 빼며 답을 추적할 수밖에 없었다. 그런데 내가 답의 언저리에 근접할 때마다 교수님은 보조 질문을 던져 주면서 도와주었다. 단 한 번에 만족스러운 답을 제시하지 못했던지라 의당 교수님의 얼굴을 살필 수밖에 없었지만, 교수님의 표정은 대만족이었다. 어차피 교수님은 정해진 답을 요구한 것이 아니었던 것이다. [...]

돌이켜보니 교수님의 질문은 시험이 아니라 마지막 강의였던 셈이다. 그 수업의 추억은 내 인생에 가장 중요한 메시지가 되어 오늘도 내 가슴에서 고동치고 있다.

"늘 한 단어 핵심을 파악하려고 노력하라. 많이 아는 것보다 더 중요한 것은 결정적인 인자를 파악하는 것이다. 그러므로 계속 물으라. '여기서 진짜 중요한 것은 무엇이지?'"[18]

차 신부는 이런 체험을 통해 사물을 바라보거나 중요한 일을 할 때, 맥을 짚는 것을 중요하게 여겼다.

핵심파악.

이것은 단순히 문제를 해결하기 위한 것이 아니라, 더 나아가 자신의 인생에서 진짜 중요한 것이 무엇인지를 파악하는 훈련이었던 것이다.

우리에게 진짜 중요한 것은 무엇일까.

고수들이 일하는 법

차 신부의 성격은 어땠을까?

가까이에서 지켜본 사람은 알겠지만, 조금 급한 면도 갖고 있는 사람이었다. 그래서 때로는 말이 나오는 것과 동시에 행동하는 성격의 소유자이기도 했다. 그는 이런 성격으로 얻어지는 좋은 점도 소개하고 있다.

나는 성질이 급한 편에 속한다. 아니 자타가 공인하는 '불'이다. 오랜 시간 함께 해온 연구소 연구원들은 이에 이미 익숙해져 있는 터지만, 그럼에도 그들은 가끔씩 나의 벼락같은 지시에 당황하곤 한다. 나의 입에서 말이 나오기가 무섭게 당장 실행해야 하기 때문이다. 이는 나의 단점이면서 장점이다.

오해를 피하기 위하여 좀 더 정확히 밝히자면, 나는 리듬을 타며 주어진 상황에 대처한다. 적어도 그러려고 노력한다. 숙고할 때는 복지부동으로 장고(長考) 모드를 취하고, 일단 결정이 되면 막무가내로 추진한다. 숙려(熟慮)의 국면에서는 몇 년도 기다릴 줄 알지만, 실행의 단계에서는 단 1초도 허송하지 않는 편이다. 또 게으를 때는 한없이 노닥거리다가도, 일단 발동이 걸렸을 때는 거침없이 밀고 간다.

곧바로 실행하는 것도 능력이다. 기획이 완료된 일에는 더 이상 시간을 허비하지 말라.

차 신부는 이 같은 자신의 성격을 장점으로 극대화했다. 그리고 자신이 만난 많은 사람들 속에서 중요한 사실 하나를 발견하게 된다.

많은 사람들을 상대하며 공통적으로 발견한 사실이 있다. 희한하게도 할 일이 많지 않아 시간이 많은 사람일수록 맡은 일의 추진과 결과보고가 늦은 반면, 제한된 시간 속에 하는 일이 많은 사람일수록 일의 추진 속도와 결과보고가 빠르다는 것이다.

모순 같지만 후자는 일처리가 빨라 그만큼 시간을 벌어 여유도 더 누리게 된다. 반면 전자는 시간만 붙잡고 늘어져 미루다가 결국 스트레스는 혼자 다 받고 일 진행도 훨씬 더디게 된다.

내가 만난 고수들은 한결같이 하나의 사안이 발생하면, 그 자리에서 즉시 일을 지시하고 확인하는 타입들이다. 즉석처리의 달인들이라고나 할까. 이는 궁극적으로 여유의 시간을 저축하는 최고의 방법이다.[19]

차 신부는 편안히 여유를 부릴 줄 아는 사람이었으면서도, 일단 기획이 끝난 일에 대해서는 신속하게 처리하는 유형의 사람이었다. 이것을 달리 말하면, 정확한 진단과 분석을 위해서는 숙고라는 시간이 필요하지만, 해답을 얻었을 때는 신속정확하게 이행하는 것이 더 효과적이라는 말이다. 그렇다면 그는 여유와 몰입을 적절하게 사용할 수 있는 '고수'가 아니었을까.

제4장
귀한 말씨

말의 힘

차 신부에게 그의 대표작 『무지개 원리』의 7가지 원리 중 한 가지만 꼽으라고 한다면 어떤 것을 선택했을까?

그는 여러 방면의 인생 고수들을 만나면서 그들에게 공통적으로 나타나는 한 가지를 발견하게 된다.

내가 말의 힘에 본격적으로 관심을 갖기 시작한 것은 졸저 『무지개 원리』를 쓰게 되면서였다. 방대한 자료를 놓고 귀납적으로 추려나가다 보니, 우리 인생에 빛이 되어주고 있는 다방면의 롤모델들이 보여주고 있는 공통점이 하나 있었다. 바로 저마다에게 자신의 인생에 터닝포인트가 된 말 한 마디씩 있었다는 사실! [...]

처음에는 (『무지개 원리』의) 일곱 가지가 다 똑같이 중요했다. 그런데 시간이 흐르면서 대답하기 고약스러운 물음이 하나 생겼다.

"일곱 가지 가운데 하나만 고르라면 무엇을 택해야 할까?" [...]

오랜 숙고 끝에 나는 "다섯째, 말을 다스리라"를 택하기로 정했다.

왜 그랬을까? 그 까닭은 결국 말 속에 생각, 지혜, 꿈, 신념이 담기고, 또 말은 궁극적으로 습관이기에, 외골수로 '말 농사'만 잘 지어도 일곱 가지를 충실히 실행한 것에 버금가는 결과가 따라오기 때문이다.

"말을 다스린다"는 것은 입술로 나가는 말을 잘 제어하는 것을 가리키는 것은 물론, 들은 말을 잘 갈무리하는 것까지 내포한다.[1]

차 신부는 많은 글 속에서 만난 인생 선배들의 사례를 통해 '말의 힘'을 강하게 깨닫게 된다. 그는 여기서 말을 잘 다스릴수록 인생에 긍정적인 변화가 온다는 사실을 발견했다.

말에 대한 그의 사랑은, 결국 그가 좋은 생각과 긍정적인 태도, 꿈과 의미를 키워나가는데 꼭 필요한 인자였다고 할 수 있다. 물론, 단순히 좋은 말을 새기는 것에 그쳐서는 안 될 것이다. 그 말이 곧 말하는 사람의 것이 되어야 한다는 전제가 필요하다.

말하는 대로

말의 힘은 실로 놀랍다. 정성을 다해 빌었던 말이 이루어지는 경우도 있고, 무심코 내뱉은 말이 현실이 되는 경우도 많다. 하지만 그 반대 사례도 분명 존재한다. 그래서 말에는 신중함이 요구된다.

차 신부는 '말의 힘'에 대해 긍정적인 생각을 가진 사람이었다. 그는 말하는 대로 이루어지는 것과 말의 신중함에 대해 다음과 같이 말하고 있다.

우리의 운명을 결정짓는 핵심 변수 가운데 하나가 '말'이다. [...] 이제는 새삼 말의 효력에 눈 떴으니, 그만큼만이라도 말에 공을 들여야 할 터다. 언어 관리를 시작하는 순간, 새로운 인생의 첫걸음을 내딛는 셈이다.

말은 내뱉는 순간 법칙을 따르기에, 예외를 허락하지 않는다. 말은 "말하는 대로 된다"는 비정한 법칙을 벗어나지 않는다. 그러므로 말의 속성을 간파하여, 버릴 말은 버리고 피할 말은 피하며, 일부러 끌어들여야 할 말은 공들여 익혀두는 것이 슬기로운 선택이다.

위대한 말은 위대한 역사를 짓기도 한다. 결단의 순간 결정적인 말한 마디가 상황을 반전시키기도 한다. 뿐만 아니라 말은 대중을 움직이고 여론과 문화를 만들기도 한다. 나아가 심금을 건드리는 말은 큰 울림이 되어 후세에까지 영향력을 행사하기도 한다.

그럴진대, 어찌 말을 생각 없이 나오는 대로 뱉어낼 수 있으랴.[2]

말에 공들이는 것이 자신의 인생에 지대한 영향을 미칠 수 있다고 차 신부는 조언한다. 작은 말이 씨앗이 돼 부정적인 여론을 만든다면 그 파급 효과는 어마어마하다.

그러면 우리의 입에서 나오는 말은 현재 어떠한가.

좋은 물음

물음은 어떤 답 혹은 깨달음을 얻고자 할 때 나오는 행위다.

차 신부에게는 특강 요청이 끊이질 않았다. 그는 종교계뿐만 아니라 사회 각계각층의 사람들을 대상으로 왕성한 강연 활동을 펼쳤다. 자연스럽게 다양한 사람들에게 질문을 받게 된다.

나는 기업으로부터 특강 요청을 많이 받는다. 하지만 사실 나는 기업 경영에 대해서는 전문가가 아니다. 그래 '왜 내 강의를 들으려 하는가?' 하고 생각해 본 적이 있다. 그 답을 어느 젊은 CEO가 대신 해 주었다.

"신부님 강의를 들으면, 저희가 놓치고 살았던 것을 다시 회복하게 됩니다. 신부님은 저희에게 답을 주시는 분이 아니라, 물음을 주시는 분입니다. 우리가 한 번도 던져보지 못한 물음을 주심으로써 우리 사고를 풍요롭게 해 주십니다."

차 신부도 자신의 전문분야가 아닌 곳에서 강의 요청이 들어올 때, 궁금함이 있었을 것이다.

'왜 내 강의를 들으려 할까?'

그러면서 그는 앞서 말한 젊은 CEO의 말처럼 자신의 강의가 그들에게 새로운 질문을 던지는데 일조함을 깨닫게 된다.

그 새로운 질문이란 자신이 하는 일과 살아가는 것의 '의미'에 대한 질문으로 해석할 수 있다. '왜 나는 이 일을 하는가', '내 존재는 어떠한가' 등. 차 신부의 강의를 듣는 사람들은 바로 나 자신에게 물어오는 질문들과 마주하게 되는 것이다. 차 신부는 이에 관해 다음과 같이 설명한다.

철학적으로 진리를 알레테이아(aletheia)라고 부른다. 알레테이아는 '자기현현' 곧 '자기를 드러냄'이라는 뜻을 지닌다. 이 말은 진리가 숨겨져 있다가 발견되고, 드러나고, 깨달아지기 때문에 생긴 용어다.

2007년 잠실 역도 경기장에서 열린 '무지개 원리' 강연 중

의미도 이와 똑같다. 의미 역시 알레테이아의 성격을 지니고 있다. 숨겨져 있다가 발견되는 것이 의미다. 안 보인다고 해서 의미가 없다고 말하는 것은 잘못이다. 의미를 발견하려면 자꾸 물어야 한다. 왜 꿈을 꾸지? 왜 부자가 되기를 원하지? 왜 유명해지

기를 원하지? .... 이렇게 말이다.

물음은 그 자체로 응답을 잉태하고 있다. 좋은 물음은 좋은 응답을, 시원찮은 물음은 그렇고 그런 응답을. 그러므로 물어도 잘 물어야 한다. 잘만 물어도 우리는 흥분되는 의미를 만날 수 있는 것이다.[3]

좋은 물음은 의식을 깨우는 행위라 볼 수 있다. 어쩌면 내 안에 갇혀 있던 생각들을 깨워 다시금 살아있는 원래 내 모습을 회복하는 것이라 말할 수 있다.

강의를 하는 차 신부도, 또 그것을 듣는 사람들도 모두 그러길 원하지 않았을까.

꿈의 씨앗

희망의 멘토로 불렸던 차 신부는 평소 쓰는 말에도 역시 '희망'을 담고 있었다. 그는 자신이 쓰는 말대로 이루어진다는 것을 희망하고 믿고 있었다.

이런 그의 믿음은 젊은 시절부터 나타난다.

나 역시 '희망의 말' 덕을 톡톡히 보았다. 군대 훈련 시절 동초(=움직이는 보초)를 서다가 시간이 무료해서 옆의 동료와 담소를 나눴다.

"넌 제대하면 무엇을 하고 싶냐?"

그 친구가 뭐라고 말했는지는 기억이 나지 않지만, 그가 되물었던 것만은 확실하다.

"너는?"

"나? 나는 당장은 힘들겠지만 나중에 '연구소' 하나 세워서 운영하고 싶어! 그리고 그 성과를 토대로 '작가' 활동을 하고 싶어!"

실토하건대, 준비된 대답이 아니었다. 갑자기 날아온 질문에 임기응변으로 뱉은 답이었다. 모르긴 몰라도 무의식중에 자라나고 있던 꿈의 씨앗이었음은 부인할 수 없는 사실일 터다.

그런데, 이 말이 그대로 현실이 되었으니, 얼마나 놀라운 일인가! 지금 사람들이 나를 소개할 때 꼭 포함되는 말이 '연구소 소장'과 '베스트셀러 작가'니 말이다.

미리 선포한 말이 그대로 이루어진 사례는 나에게 거의 다반사다. 『무지개 원리』가 아직 무명이었을 때, 나는 "이 책은 세계 여러 나라 언어로 번역될 것이다"라고 뜬금없는 얘기를 하고 다녔다. 아직 번역이 시작도 안 되고 아무도 번역하겠다고 나서지도 않았을 때부터 계속 떠들고 다녔더니 결국 6개 국어로 번역되었다.

군대 시절 동료와 나눈 대화가 그대로 이루어졌다니, 아마 차 신부 본인도 많이 놀랐을 것이다. 여기서 중요한 것은 그가 했던 말이다. 연구소를 세우고 싶다는 것과 그 성과를 토대로 작가 활동을 하고 싶다는 것. 이 말 속에 차 신부가 꿈꿨던 것들이 녹아들어 있었다.

그의 꿈은 그의 무의식에도, 의식에도 분명 존재했을 것이고, 그것이 차츰 현실로 드러난 것이다. 그는 이런 과정 속에서 하나의 결론을 얻게 된다.

이런 경험에서 나는 하나의 결론을 얻었다. 그것을 나는 좀 과장하여 이렇게 전한다.

희망의 뻥쟁이가 되라.

꿈의 허풍을 떨어라.

꿈을 떠벌리고 다녀라.

언젠가는 스스로 놀라는 일이 생기리라![4]

자신의 꿈을 굳게 믿지 않고는 쉽게 내릴 수 없는 결론일 것이다. 그리고 그 꿈을 입으로 자주 말하는 것, 차 신부는 이것이 가진 놀라운 비밀을 깨달은 것이다.

꿈만 말하고 다닌다고 해서 다 이루어진다는 것을 믿는 사람은 많지 않을 것이다. 그러나 차 신부에게는 그것이 가능한 일이었다. 그는 생각과 말로, 그의 온 삶으로 자신이 꿈꿔온 것에 모두 집중했기 때문이다.

긍정의 효과

차 신부는 자주 '긍정적인 생각'과 '긍정적인 말'에 대해 강조했다. 그리고 스스로 긍정과 희망의 아이콘으로 살아왔다.

그런데 여기서 놀라운 사실 한 가지를 발견하게 된다. 긍정하는 생각과 말의 습관은 그 효과를 강조하고 살아온 차 신부뿐만 아니라 함께 일했던 동료들에게도 전파됐다는 것이다.

나는 EBS의 모 프로에서 두 차례에 걸쳐 TV특강을 한 적이 있었다. 녹화 전 방송 팀에서는 짬짬이 나를 찾아와 평소 연구소에서의 모습이라든가 강의 현장에서의 모습 등을 ENG카메라로 담아 갔다. 자연스러움을 살리기 위하여 모든 과정이 예고 없이 진행되었다. 그러는 가운데, 연구소 연구원들과 회의하는 장면을 찍고자 했다. 카메라가 대동된 갑작스러운 회의소집이었음에도 불구하고 우리끼리는 늘상 하던 회의라 가볍게 찍었다. 문제는 그 다음이었다. 카메라맨이 기습적으로 한 명 한 명에게 인터뷰를 시도하는 것이었다.

"평소 신부님을 어떻게 생각하고 계셨습니까?"

긴장들은 했지만 그럭저럭 임기응변으로 좋게 대답을 해 주어서 마음속으로 '휴우~' 하고 안도하고 있던 찰나, 최고참 연구원에게 카메라가 돌아갔다. 순간적으로 긴장감이 나를 덮쳤다. 평소 폭탄 발언(?)을 서슴지 않던 친구였기 때문이었다.

"신부님을 통해서 저는 '하면 된다'는 사고방식을 배웠습니다. 사실 저는 연구소에서 어떤 프로젝트를 추진할 때마다 '저건 안 돼'라고 생각했던 적이 많았지요. 그런데 모두가 불가능하다고 생각했던 것들도 신부님께서는 '된다', '할 수 있다'며 저희들을 격려하셨고 결국 목표달성을 해냈습니다. 저는 이 과정을 수없이 지켜보면서 이전에 부정적이었던 제 자신이 지금은 긍정적인 사람으로 변화되었음을 느끼고 있습니다."

예상치 못했던 '멋진 말'이었다. 나를 칭찬해서가 아니라 그의 바뀐 사고의 발로이기에 '멋지다'는 뜻이다. 나의 곁에 있는 사람이 나를 통해 변화되었다는 것보다 더 기쁜 소출이 또 무엇이랴.

그렇다. '안 된다'고 하지 마라. '안 된다'는 생각을 버리라.[5]

이것이 '긍정의 효과'다!

차 신부 자신도 평소 강조해 왔던 것을 그렇게 옆에 있는 동료에게서 체험하게 됨을 놀랍게 여겼을 것이다. 긍정의 효과는 이처럼 인간의 사고를 변화시킨다.

변화된 사고는 인생을 긍정적으로 바꾸는 동력원으로 작용한다. 차 신부는 이 원리와 효과를 바로 곁에서 체험한 것이다.

그럼 이제 우리는 어떤 사고를 하고 어떤 말들을 사용하고 있는지 점검해 보는 것은 어떨까.

희망의 언어문화

우리는 어떤 언어문화 속에서 살고 있을까? 미디어에서 쏟아지는 말과 표현들 속에 긍정의 말보다 자극적이고 부정적인 언어가 많음을 빈번하게 볼 수 있다. 이런 언어문화 속에서 어느덧 내 생각과 행동도 자연스레 부정적으로 흘러가곤 한다.

차 신부는 이런 현상을 우려하면서 우리 사회에 '희망의 언어문화'를 강조했고, 이를 문화 운동으로 확산시키기 위해 노력했다.

긍정적인 언어를 들으며 자란 아이들은 타인에게 마음을 잘 열 뿐 아니라, 자신 안에 잠재된 능력도 더 잘 발휘한다. 그 좋은 예는 얼마든지 있다. "잘했다", "우리 아이 똑똑하네!", "괜찮아요", "훌륭해!", "아주 좋아!" 등. 이런 표현들이 아이들을 큰 그릇으로 키운다.

이런 이유로 나는 저술 및 강연 활동을 통해서 우리 사회 긍정의 언어문화, 꿈과 희망을 갖게 하는 언어문화를 퍼트리고 있다. 그랬더니, 지식인을 자처하는 몇몇 사람이 딴지를 걸어오기도 했다. '피로사회 증후군'이니 지나친 자기계발 권면의 후유증이니 하면서, 반희망론을 피력해 온 것. "지금 현실은 암울한데 젊은이들에게 꿈과 희망에 대해서만 만날 이야기하면 좌절만 더 키우는 꼴 아니냐. 그러니 더 큰 실망을 부추기지 말라." 이런 명분과 논리였다. 나는 그들이 주장하는 우려를 부정하고 싶지는 않다. 일정 부분 맞는 말이기도 하다. 그러나, 그렇다고 '절망'을 택하면 답이 될까. 그것도 아니다. 정녕 젊은이들에게 필요한 것은 이런 좌절과 역경을 견뎌낼 수 있는 내공이다. 그 내공을 키워주는 것이 바로 긍정의 언어고 꿈이고 희망이다. 젊은이들이 힘든 시기를 저런 긍정의 자세로 견디고 버티다가 보면, 결국 적절한 시기에 그들에게도 기회가 오기 마련이다.

아무리 사회가 암울하더라도 언어만큼은 일부러 긍정적이려 노력하는 것이 현명한 선택이다. 일이 꼬일 때 우리가 빠지는 유혹은 절망과 불평의 언어다. 쓰는 말이 거칠어지고 회색빛이 되고 어두워지면, 좋은 날이 와도 다시 일어나기 힘들어진다.

현실만 바라보는 지성은 비판과 걱정 일색이지만, 미래를 내다보는 지혜는 온통 긍정과 꿈과 희망의 가능성만 본다.[6]

사람들이 현실의 고통 속에서 좌절하고 실패하면서 부정의 언어를 쏟아낼 때, 차 신부가 한 것은 단순한 위로의 말이 아니었다. 그런 현실일지라도 버티면서 딛고 일어설 수 있는 '희망의 언어'를 대안으로 제시했다.

희망의 문화를 위해서는 희망을 갈구하는 말을 반복해야 한다. 자꾸 사용해야 한다. 그 속에서 희망을 발견하는 것이다. 희망을 갖기 위한 연습은 이런 훈련에서 시작됨을 차 신부는 호소한 것이다.

그럴 수 있지

우리는 주로 어떤 태도로 상대방과 대화할까? 긍정적이고 나에게 유익하며, 특히 이익을 가져다주는 대화를 할 때, 우리의 자세는 상대방에게 호의적일 것이다. 그러나 그 반대의 경우엔 어떤가. 더구나 나와 의견을 달리하거나 비난을 받을 때에는?

차 신부에게는 이와 관련해 하나의 언어 습관이 있었다.

나는 청년 시절 누가 어떤 의견을 말해도 "그래~?", "그럴 수도 있지"라는 말을 참 많이 했다. 빈말이 아니라, 생각을 그처럼 열어 두었던 것이다.

그런데, 얼마 전에 만난 친구가 30년도 더 지난 그때의 내 대화법을 기억해 주었다. 친구는 나의 그런 점을 고마워하기까지 했다! 그 자신이 시인할 만큼 억지스런 아이디어나 주장들을 펼쳤음에도 언제나 내가 "그럴 수 있지" 하며 수긍해 주었다는 것이다. 물론, 그 말에 이어서 내 생각을 밝히지 않은 것은 아니다. 어느 경우에는 정반대 견해를 피력하기도 했을 것이다. 하지만 시작은 항상 "맞아, 옳아" 하고 받아들여주었기 때문에, 그에게도 기분 좋게 받아들여지지 않았나 싶다. 하여

간 그 친구는 자신만의 아이디어로 지금도 여전히 현장에서 뛰는 프런티어다. 남들이 하지 않는 생각, 남들에게 이해될 수 없는 생각까지도 긍정해 주던 친구에게 보란 듯이 성공인생을 증명해내면서 말이다.

소통은 심리 게임이다. 가는 대로 오고 건드리는 대로 반응한다. 이심전심으로 상대의 마음을 헤아려 주려는 선한 의도가 있으면 그것은 결국 전달된다. 그러니 말 잘하려고 애쓰는 이상으로 상대의 마음속 원의를 이해해 주려는 노력을 기울일 필요가 있다.[7]

소통은 '심리 게임'이라 차 신부는 표현한다. 상대방과 대화를 하는 동안 침묵이 흐르는 순간에도 우리의 머리와 가슴은 얼마나 많은 말을 하고 있는가. 하지만 차 신부는 이런 순간에도 이심전심과 선한 의도를 담아야 한다고 강조한다. 그것은 결국 상대에게 온전히 전달되기 때문이다.

우리는 대화할 때 상대방의 이야기를 얼마나 잘 이해하고 받아들이고 있나.

토킹 스틱

앞서 차 신부는 자신의 성격을 '불'같다고 표현한 적이 있다. 그는 그러면서도 신속정확하게 일을 처리하는 달인이었다. 그런 차 신부는 연구소에서 직원들과 어떻게 대화했을까?

나는 성격이 좀 급한 편이어서 연구원들과 회의를 할 때, 충분히 다 들어주지 않고 도중에 끊곤 했다. 연구원들은 가끔 그 점에 대해 불만을 토로했다. 나는 "이미 다 알아들었기 때문에 그랬다"고 이유를 댔지만, 그건 핑계에 지나지 않았다.

그런데 '토킹 스틱'이란 인디언의 지혜를 접하고 나서 마음이 바뀌었다. 토킹 스틱은 인디언들에게 전수된 경청의 지혜를 담보해 주는 도구다. 이는 인디언들이 회의를 할 때 부족장이 들고 있는 지팡이다. 부족장은 발언권을 청하는 부족원에게 이 토킹 스틱을 건네고, 토킹 스틱을 가진 사람만 말을 할 수 있다. 이때 다른 부족원은 참견하거나 말을 끊을 수 없다. 이렇게 하여 회의가 끝나면 모두 만족한다.

이처럼 토킹 스틱은 상대가 말하는 중간 절대로 끊지 못하게 하는 제도적 장치다. 그만큼 상대방의 말을 끊지 않는 것이 중요하다는 얘기다.

회의 진행에서 발언권이란 것은 중요하다. 차 신부는 이것의 본래 의미를 '토킹 스틱'을 통해 깨닫게 된다. 회의에서 이것을 주고받아야 질서가 생기기 때문이다. 그러나 다른 사람의 얘기를 단순히 경청하는 것으로 질 높은 회의가 진행된다고 말할 수 있을까? 이것은 대화에서도 마찬가지다. 차 신부는 이에 대해 한 발 더 나아간다.

여기서 주의를 요하는 것이 하나 있다. 말을 끊지 않고 듣는 것이 능사가 아니라는 얘기다. 자신의 차례가 올 때까지 상대방이 말하도록 내버려두는 것과 경청은 다른 것이다. 상대가 혼자 말하는 동안, 자기 차례를 기다리면서 딴생각을 하는 것은 경청이 아니다. 듣는 마음이 산만해지면 상대방은 그것을 금세 읽는다. [...]
그러므로 제대로 경청하려면 질문과 맞장구가 동반될 필요가 있다.
"아, 그랬군요!", "정말요?", "그 얘기 좀 더 해 봐요. 더 듣고 싶어요", "그 다음 어떻게 됐죠?"라는 식의.

경청에서 맞장구라는 적극적인 표현은 대화의 질을 한껏 높인다. 차 신부는 진정 올바른 경청의 의미를 다음과 같이 되새기고 있다.

경청을 해 주면 내가 상대에게 호감을 갖는 것 이상으로 상대가 나에 대해 호감을 갖게 되어있다. [...] 자신의 똑똑함을 보여주려고 하기 전에 상대방이 스스로 똑똑하다고 느끼도록 해 주는 것이 더 현명하다. 상대에게 나의 좋은 인상을 심어주려고 하기보다 상대방이 자신에게 좋은 인상을 남기도록 기회를 주는 것, 그것이 경청의 백미다.[8]

봐야 할 지점

타인을 바라보거나 대화를 나눌 때, 우리는 어떤 시각을 갖고 있을까? 내 시각, 내 관점으로 보는 것이 일반적일 것이다.

그런데 차 신부는 한 여인과의 만남을 통해 이런 일반적인 생각이 새롭게 변화되는 기회를 맞는다.

내가 처음으로 내 일생 운명의 여인 안나를 알게 된 것은 1991년 늦가을이었던 걸로 기억한다. [...] 한 유학생을 통하여 소개받은 인물이 안나였다. 일곱 살배기 안나! 안나는 하느님을 '미스터 갓'이라 불렀다. 매력덩어리 안나는 내게 사물을 보는 법을 새롭게 가르쳐 주었다.

"사람들은 저마다의 관점, 그러니까 '보는 지점' 또는 '보는 위치'들을 가지고 있잖아. 그치만 미스터 갓은 '봐야 할 지점들'만 가지고 있어."

천재성이 번득이는 이 말은 20년 전 내 사고방식을 송두리째 뒤집어 놓았다. 지금 이 아이는 무어라고 말하고 있는가? [...] 우리는 습관처럼 '관점'이라는 말을 쓴다. 영어로 point of view(보는 지점)! 그런데 이 영특한 아이는 자유롭게 언어의 족쇄를 벗어나 point to view(봐야 할 지점)라는 역발상을 한다. 옛말로 역지사지가 되겠다.

차 신부는 안나 –차 신부가 번역한 『Hi, 미스터 갓』의 주인공– 의 말을 통해 대화 속에서 시각의 전환이 가져오는 놀라움을 깨닫게 된다. 보통 내 입장에서 타인을 고려했지, 그 반대의 경우는 어렵기 때문이다.

하지만 우리는 이 방법을 이미 알고 있었다. 단지 우리 의식에 뿌리내리지 못했을 뿐. 차 신부는 안나가 말한 '봐야 할 지점'에 대해 조금 더 자세히 설명한다.

'보는 지점'이라는 말은 정해진 자리에서 자기중심으로 무엇인가를 바라볼 때 사용될 수 있다. 반면 '봐야 할 지점들'이란 말은 자기중심을 탈피해서 상대방의 입장, 또는 있을 수 있는 모든 가능성들의 처지를 취할 것을 요구한다. 그래서 사람은 '보는 지점'만을 가지고 있고, 미스터 갓은 '봐야 할 지점들'을 가지고 있다고 안나는 얘기했던 것이다.

안나는 오늘 우리 사회에도 희망적인 영감을 준다. 요즘 우리가 처한 정치사회적 긴장국면은 한마디로 여러 관점들의 충돌이라고 요약할 수 있다. 이럴 때 '관점'(point of view)이라는 관습어 대신에 '봐야 할 지점들'(points to view), 더 줄여서 '볼 점'이라는 신조어가 대중화된다면, 그 자체로 융화의 실마리가 될 수 있지 않을까.[9]

우리는 대화 속에서 타인과 충돌하는 경우가 많다. 이런 현상은 때로 정치권에서 격렬하게 나타나기도 한다. 무엇이 문제인가. 그것은 입장 차에 달려 있다. 그렇다면 해법은?

그것은 차 신부가 만난 안나의 말처럼 열린 마음으로 서로를 바라보고, 봐야할 부분을 인정하는 것이지 않을까.

다름을 넘어 융합으로

'화이부동'(和而不同)이라는 말이 있다. 이 말은 '함께 어우러져 조화를 이루되 똑같지 않다'라는 뜻을 지니고 있다. 우리 사회는 다양한 사람들이 모여 사는 공동체다. 나와 비슷한 사람보다는 오히려 많이 다르고 독특한 개성을 지닌 사람들과 함께 살아간다.

이런 상황 속에서 나는 타인의 '다름'을 어떻게 받아들이고 대하고 있을까?

나는 외국 생활을 10년 가까이 했다. 그 10년은 나의 사고방식에 해방을 가져왔다. 가장 크게 배운 것 가운데 하나가 '다름'에 대한 나의 태도다. 유럽인이나 미국인이나 '다름'을 당연한 것으로 여긴다. 그러기에 대화를 하다가 "나는 다르게 생각한다"고 말한다 해서 전혀 기분 나빠하지 않는다. 교수나 윗사람에게도 마찬가지다. 오히려 "저 사람 생각이 있는 사람이군!" 하고 올려 봐준다.

오스트리아 비엔나에서 주말 보좌 신부로 지낼 때 본당 주임신부와 늘 점심식사를 하였는데, 그 대화 분위기가 꼭 그랬다. 서로 다른 생각을 나누니까 더 친해지게 되었다. 아마도 "예", "그래요", "맞아요" 일변도의 대화를 나눴더라면, 지금에 와서 "친했다"라고 회상하는 것이 불가능했으리라.

차 신부는 유학생활 중에 다름에 대한 개방적인 태도를 좀 더 깨닫고 배우게 된다. 현지인들이 다른 사람을 대하는 자세를 보며 차 신부 자신의 태도를 성찰하고 더 좋은 것을 깨닫는 시간이었을 것이다. 하지만 유학을 마치고 돌아와 마주한 한국에서의 다름을 대하는 문화는 사뭇 달랐다.

유학 시절 동료 사제들과 함께

많이 좋아졌다고는 하지만, 한국에서는 아직도 "나는 다르게 생각한다"는 말을 할 때 반드시 주변을 살피게 된다. 혹시 누군가 기분 나쁘게 여길까봐 움츠러들기 때문이다. [...]

그러니 '다름'을 서로 경합 내지 경쟁 대상으로 여기고 배척하는 것은 시대착오적인 사고다. '다름'을 더 이상 '틀림'이라는 말로 바꾸지 않을 때, '다름'은 다양성의 풍요로 꽃을 피게 된다. 다양성은 얼마나 큰 축복인가. 잘만 활용하면 풍요를 넘어 융합 에너지를 뿜기도 하니, 이로부터 다시 적대적 대립으로 역행하는 어리석음은 피해야 하지 않을까.[10]

우리는 아직도 '다름'을 '틀림'이라 생각하고 있는가. 또, 나와 생각과 행동이 다른 사람을 틀렸다는 프레임(frame)에 가두고 있지는 않은가.

삶을 살아가는 동안 다양성의 풍요는 맛보지 못한 채 홀로 시들어 가는 영혼의 메마름을 체험할 수도 있다. 무엇이 두려운가. 다양성을 받아들이면 축복이 오는 것을!

말틀

나는 평소 어떤 말들을 주로 사용하고 있을까.

의식적으로 생각하지 않으면 자신의 언어습관에 대해 잘 모를 수 있다. 하지만 조금만 깊이 들여다보면 자신이 자주 사용하는 언어 습관들을 발견할 수 있다.

차 신부는 이런 언어 습관을 '말틀'이라 표현했다. 그가 말하는 말틀이란 무엇이며, 어떤 작용을 하는 것일까?

방금 '말틀'이라는 다소 생경한 표현을 써봤다. 전문적인 용어로 언어 프레임(frame)이라 부른다. 이는 평소 자주 사용하는 말투의 습관적인 양상과 관계가 깊다.

내가 처음으로 '말틀'에 대해 자각하기 시작한 것은 오스트리아 비엔나 대학에서 박사학위 논문을 쓰고 있을 때였다. 초고를 제출하고 며칠 후 지도교수로부터 의외의 지적을 받았다.

"구성과 내용은 좋은데, 무슨 논문에 그렇게 많은 전쟁용어가 필요합니까? 학생의 주제는 '공동체'와 관련된 것인데, 거기엔 그런 용어가 필요 없습니다. 오히려 그 반대로 사랑과 평화 같은 용어들이 어울리지요. 용어를 바꿔서 제출하세요."

문화쇼크였다. 이후, 우리의 일상용어가 얼마나 전쟁 용어로 '점령'(일부러 그 한 예로 선택해 본 것임)되어 있는지 성찰하는 계기가 되었다!

실제로 찾아보니 내가 쓴 단어 가운데 '무너뜨리다', '이겨내다', '공략하다'와 같은 식의 전투적 표현들이 여기저기 즐비하였다. 섬뜩했다!

차 신부도 잘 몰랐던 것이다. 자신의 언어 습관들을. 논리적으로 탄탄한 구성력을 요하는 학위논문에서 그가 사용한 용어는 조금 성질이 다른 '전쟁용어'였다. 물론 해군 학사장교(OCS 72기)로 근무했던 차 신부는 이 분야와 관련된 용어를 자유자재로 사용할 수 있었다. 그러나 이런 용어를 신학 논문에 사용한 것은 논문 지도교수에겐 다소 생소한 일이었을 것이다. 이런 체험을 통해 차 신부는 자신의 말틀을 자각했다.

이후 그는 현대 미디어에서 사용하는 말틀을 분석하면서 자신의 논문 지도교수처럼 다시금 놀라게 된다.

최근 나는 새로운 충격을 접하게 되었다. 어느 날부턴가 각종 미디어에서 '진격'이라는 단어가 급속도로 유행하고 있음을 보게 된 것이다. 나는 내 눈과 귀를 의심했다.

사전에서 찾아보니 '앞으로 나아가 적을 침'이라고 '진격'(進擊)의 의미가 또렷하게 적혀 있었다. 아니 평화로운 이 세상에서 도대체 앞으로 나아가 쳐 없애야 하는 적이 누구란 말인가? 어떻게 이 단어가 '진격의 며느리', '진격의 이벤트', '진격의 자태', '진격의 가격파괴', '진격의 청순', '진격의 예능대세' 등과 같이 해괴한 조합을 이룰 수 있단 말인가?

[...] 한낱 유행어일지라도 말이다. [...]

결국 언어를 통해서 사고방식이 형성된다. 그러기에 우리의 사고방식을 좀 더 선진적이고 미래지향적으로 바꾸기 위해, 현재 갖고 있는 언어들 중 많은 부분을 대안적 언어로 고쳐나갈 필요가 있다. 말틀이 바뀌면 그 사람의 의식과 생각이 바뀌고 품격도 바뀐다.[11]

말틀은 그 틀을 사용하는 사람의 언어를 통해 그의 세계관을 반영한다. 공격과 부정의 말틀을 사용하는 사람의 생각 속에는 그와 같은 것들이 많이 존재한다. 더구나 부정적으로 고착화된 언어습관은 이런 말틀을 더욱 굳어지게 만든다. 하지만 절망과 전쟁 속에서 평화를 기대하기란 쉽지 않다. 그럼 말틀의 변화는 불가피할까?

희망적인 것은 자신의 의식적인 노력으로 이 말틀은 변화될 수 있다는 사실이다. 이 가능성은 한 사람의 인생을 완전히 바꿀 수 있는 잠재적인 에너지를 가지고 있다. 그래서 더욱 '긍정'과 '희망'의 가치관이 필요한 것이 아닐까.

천금말씨

차 신부에게 '천금말씨'는 무엇이었을까? 또 우리에게 어떤 천금말씨를 조언했을까?

다른 말로 표현하자면, 차 신부는 말에 대해 어떻게 생각하고 그것을 다스렸냐는 것이다. 그는 저서 『천금말씨』(2014) 후반부에 그가 선택한 '3대 천금말씨'에 대해 다음과 같이 말하고 있다.

한 개인과 나라 발전에 크게 기여할 3대 '천금말씨'를 꼽으라고 한다면, 무엇이 선택될까. 나라면 감사의 말씨, 축하의 말씨, 그리고 희망의 말씨를 꼽을 것이다.

먼저, '감사'는 어떻게 '천금말씨'가 될까. [...] 나는 어린 시절 "감사합니다", "고맙습니다"와 같은 말들을 거의 들어본 적이 없다. 그 당시에는 이런 말들이 아직 일상어가 되지 못했다. 그러기에 중학교 1학년 때 영어를 배우면서 "Thank You", "I'm Sorry", "Excuse me" 등의 표현을 처음 접하게 되었을 때, 단어 자체보다 이런 말을 언제 써먹어야 하는지가 외려 생경했다. 하지만 그 이후 우리나라 경제 사정이 좋아짐과 함께 국민들 사이에서도 "고맙습니다", "미안합니다"라는 표현들이 점점 자주 쓰이게 되었다. 이런 변화된 의식과 병행하여 경제성장이 가속화 되었다. [...] 그러므로 앞으로도 '감사'가 우리 언어문화를 선도하는 '천금말씨'가 되는 것이 마땅하다.

다음으로, '축하'의 말씨는 어찌해서 천금말씨가 될까. 오스트리아에서 유학할 당시 나는 그라툴리어렌(gratulieren: 축하합니다)이라는 말이 그곳 국민들의 일상 언어라는 사실에 문화적 충격을 받았다. [...] 그때 나는 깨달았다. 맞다! 축하야말로 상생의 언어요 화합의 언어다! [...]

우리는 지금까지 제대로 된 축하를 못했다. 축하를 대신해서 우리는 "한턱 내"라고 말하기 일쑤였다. [...] 축하는 우리에게 힘과 에너지를 선물한다. 그러니 우리 주변에서 아주 조그마한 축하거리만 생겨도 "축하해" 하고 말해 보자.

세 번째로, '희망'은 어떻게 '천금말씨'가 될까. 긍정적인 미래는 부정적 언어에서 탄생하지 않는다. 희망의 언어에서만이 밝은 미래가 탄생한다.[12]

각박한 현대 사회에서 차 신부가 제시한 3대 천금말씨, 곧 감사, 축하, 희망의 말씨가 입 밖으로 나오는 데는 조금 시간이 걸릴 수 있다. 그러나 차 신부는 자신의 저서들을 통해 강조한 이 천금말씨를 세상과 공유하면서 강조하길 바랐다. 그 이유는 우리 사회가 이제 말을 의식하고 옹알이 하던 이 천금말씨들을 자연스럽게 대화할 수준으로 높일 때가 왔기 때문이다.

누구나 희망 속에서 자유롭고 행복하게 살기를 원할 것이다. 그런 마음을 품고 사는 것은 매우 중요하고 바람직하다. 그러나 그것을 입으로 말하고 함께 나누기 위해서는 반드시 실행이라는 것이 필요하다.

처음에는 이런 언어들을 말하는 것이 어려울 수 있다. 외국어처럼 낯선 표현들 속에서 어색함을 느낄 수 있기 때문이다. 하지만 하루하루 연습하다 보면 그 언어를 자유롭게 구사하게 될 것이고, 그렇게 표현한 언어들은, 곧 좀 더 나은 삶의 모습으로 우리를 이끌어 줄 것이다.

제5장

희망의 샘

피로사회의 출구

각박하고 힘겨운 사회에서 살아간다는 것은 하루하루 도전이 아닐 수 없다. 아무런 꿈과 희망이 없는 채 일에 지쳐 하루를 보내는 경우도 많다.

우리는 그야말로 '피로사회'를 살아가고 있는 중이다. 때로는 이 피로사회 속에서 삶의 기쁨과 즐거움을 잊은 채 어디로 흘러가는지 모르는 나를 발견하기도 한다. 도대체 이 사회의 출구는 어디에 있을까?

차 신부는 이 같은 현상을 바라보며 차분한 희망담론을 제시하고 있다.

피로사회의 출구는 무엇인가? 나는 여기서 그 대안 가운데 하나로서 차분한 희망담론을 제시하고자 한다. 다 뭉뚱그려 '전진 일변도의 희망 선동을 폐기하자'라는 생각 역시 균형을 잃은 견해이기 때문이다. 요컨대, 무책임한 희망 부추기기가 아니라 있는 그대로 희망원리 자체의 발견! 이것을 꾀해 보자는 얘기다. [...]

"희망 자체의 다이내믹에 대한 과학적·심리적 진술, 역사의 검증을 받은 희망 이야기에 대한 귀납적 진술, 그거라면 괜찮지 않을까!!!"

아무렴. 이런 희망이라면 한번쯤 가져볼 만하지 않은가? 기왕 누구에게나 주어진 똑같은 하루라면. [...]

이런 까닭에 나는 어떤 반론에도 굴하지 않고 노상 나의 희망철학을 외쳐댄다.

"역사 이래 꿈 시장에 불경기란 없었다!"

그렇지 않은가. 경제일선의 불경기 때, 사람들에게 더욱 필요한 것은 꿈이다. 호경기 때는 또 그 상승의 붐이 꿈을 부채질한다. 이러기에 나는 꿈을 기죽이려는 이 세상의 음모(?)에 대한 저항으로 저 말을 만들어냈다. 이 말이 2,000년 후에도 사람들 입에 오르내렸으면 좋겠다. 그렇게만 된다면 나는 무덤에서도 벌떡 일어나 기뻐하리라.[1]

희망을 항상 마음에 간직하고 살아왔던 차 신부는 피로사회에 살고 있는 사람들과 이 희망이 지닌 힘을 나누고자 했다. 그래서 그의 여러 저서와 수많은 강연의 주제는 희망이었다.

사람들이 희망의 원리를 발견해 함께 희망을 갖는 것, 꿈을 갖는 것이 이 어려운 세상을 이겨나가는 힘이 되리라 믿었기 때문이다.

그는 지금도 사람들이 희망을 갖고 행복하게 살아가는 꿈을 꾸고 있지 않을까.

절망에 빠져있는 그대에게

절망이 다가오면 어떻게 될까?

많은 사람들은 절망의 순간, 거기서 쉽게 빠져나오지 못하고 절망이 주는 고통 속에서 고뇌하며, 그 늪으로 점점 빠져든다. 절망은 그렇게 영혼을 힘들게 하고 서서히 죽어가게 만들기도 한다.

차 신부는 현대인들이 이 절망의 늪에서 괴로워하며, 쉽게 극복하지 못하는 현실에 많이 아파하며 안타까워했다. 그리고 언제나 그들을 도와주고 싶어 했다.

그가 생전에 띄운 편지에는 그 마음이 담겨있다.

혹은 자의로 혹은 타의로, 혹은 무료함으로 혹은 고뇌로, 지금 회색빛 호숫가를 서성이고 있는 그대여!

그대에게 내가 무슨 말로 희망을 줄 수 있겠소. 그대가 "희망은 없다!"고 단정해 버리면 어떤 말이 그대를 위로해 줄 수 있겠소.

우리는 우리가 내린 선고에 밀려 스스로를 절망이라는 이름의 천형에 묶어두고 있는지도 모릅니다.

이럴 땐, 적당한 위로가 아니라 추상같은 일갈이 명약입니다. 그런 의미에서 나의 희망멘토 엠마 골드만의 시를 그대를 위한 불호령으로 전합니다.

"만약 그대가 절망에 빠져 있다면 그럴 때는 어떻게 해야 하는가!

끊어진 희망을 다시 이어야 한다.
잃어버린 희망을 다시 찾아야 한다.
무엇인가를 소망해야 하고 무엇인가 희망해야 한다.

생각하면 가슴 떨려 설레이는 그 무엇인가가 있어야 한다.
그래서 그것만 생각하면 힘이 솟고 용기가 생겨서
삶에 의욕이 넘쳐야 한다.

희망이 있는 사람은 행복해 보인다.
얼굴이 밝고 활기가 넘치고 항상 최선을 다하게 된다.

나는 과연 무엇을 희망하고 있는지 스스로에게 물어보자.
혹시 내가 희망도 없고 꿈도 없이
하루하루를 살아가는 사람은 아닌지 생각해 보자.
희망이 없는가? 소망이 없는가? 꿈이 없는가?
그러면 만들어야 한다. 반드시 만들어야 한다. 꼭 만들어야 한다.

너무 절망스러워 도저히 희망과 소망이 없어 보일지라도 찾아보고 또 찾아야 한다.

그래도 없다면 억지로라도 만들어야 한다.

왜냐하면 더 이상 꿈을 꿀 수 없음은 죽음을 의미하는 것이기 때문이다."[2]

희망이 소진한 듯 느껴질 때, 나는 곧잘 그의 시를 읽습니다.

얼마나 생동감 넘치는 권고입니까.

내게는 호소로, 급기야는 거역할 수 없는 명령으로까지 들립니다.

그가 반복해서 강조하고 있는 '반드시', '꼭', '또', '억지로'에는 우리를 향한 사랑이 담뿍 담겨 있습니다.

그가 왜 저렇게 격정적으로 희망을 강조하는지 어렴풋이 알 듯도 합니다. 역사를 더듬어 보면, 인류가 끔직한 재앙과 시련을 견뎌낼 수 있었던 것은 전적으로 희망 덕이었습니다. 오직 희망으로 우리의 인생선배들은 온갖 위기에서도 살아남았고 오늘 우리가 누리는 문화를 만들어냈던 것입니다. 그러니 희망이 있는 한 우리 인생에도 미구에 무지개가 뜰 것입니다. 엠마 골드만이 역설하듯, 반드시![3]

희망 캠페인

2007-2008년 전 세계에 불어 닥친 글로벌 금융위기와 경기 침체의 흐름을 우리나라도 피해갈 수는 없었다. 많은 사람들이 경제 불황 속에서 힘들어 했고, 암울한 공기가 사회 전반에 드리워졌다.

절망의 그림자 속에서 차 신부는 어떤 생각을 했을까?

'역발상'이란 말이 있다.

대개는 괴롭고 힘겨우니까 절망하게 되고 포기하게 된다. 그러나 차 신부는 역으로 괴로우니까 힘내야 하고, 절망의 힘이 크니까 '희망할 때가 왔다'고 선언한다.

2008년 여름쯤 글로벌 금융 위기가 한반도 상공에 먹구름을 드리우고 있을 때, 나는 그 비상구는 오직 '희망'임을 직감했습니다. 당시는 마침 '무지개 원리'가 국민적 사랑을 받으면서 연 600여 회의 강연을 다니던 터였습니다. 나는 강의 말미에 항상 이렇게 열변을 토했습니다.

"지금 우리는 전 지구적 경제 시련을 겪고 있습니다. 이럴 땐 효과적인 경제정책을 강구하는 것도 중요하지만 온 국민이 희망을 붙들고 합

심하는 것이 더 힘이 됩니다. 우리가 '위기를 기회로 만들겠다'는 희망으로 진력한다면, 대한민국은 반드시 OECD 국가 가운데 가장 먼저 글로벌 금융 위기를 극복하는 나라가 될 것입니다. 왜냐하면 '희망'은 그 자체로 다이내믹이 있기 때문입니다."

나는 연재 중이던 일간지 칼럼에서 그리고 각종 인터뷰와 TV 특강에서도 똑같은 메시지를 수없이 반복해서 전했습니다. 아무도 희망을 이야기하지 않을 때부터 나는 어떤 경제분석 자료도 없이 희망 프런티어로 앞장서서 뛰었습니다. 나는 이를 '뿌리 깊은 희망'이라 이름 붙였습니다. [...]

나의 결론은 '그러니 아무거나 붙들고 희망이라고 우깁시다!' 하는 것이었습니다. 청중 가운데는 정·재계 인사, 오피니언 리더, 일반 시민, 대학생들도 꽤 있었습니다. 그리고 놀랍게도 2009년 말 전 세계 경제 전문기관들은 대한민국이 OECD 국가 가운데 가장 훌륭한 성적으로 글로벌 금융 위기를 탈출했음을 선언하였습니다.

이 소식을 처음 접했을 때 나는 나도 모르게 눈시울이 슬그머니 적셔

2007년 잠실 역도 경기장에서 열린 '무지개 원리' 강연 중

졌습니다. 물론 이 희소식의 일등 공신은 현장에서 불철주야 뛴 경제 역군들이었습니다. 하지만 적어도 이번엔 나처럼 뒤에서 보이지 않게 희망의 기운을 불어넣으며 국민사기를 진작시킨 희망 응원단의 역할도 작용했다고 봅니다.

지금에 와서 이 얘기를 꺼내는 것은 [...] "희망을 말하고 희망을 품었더니 과연 좋은 일이 생기더라!"는 체험적 삶의 지혜를 갈무리해두자는 취지입니다. 그래야 훗날 또 다른 시련이 다가올 때 국민적 집단지혜로 또다시 희망을 붙잡을 게 아니겠습니까.[4]

절망 속에서 절망하는 것은 당연한 일이다. 그러나 절망 속에서 희망을 말하는 것은 실로 대단한 일이다! 특히, 희망이 없어 보일 때 희망을 말하는 것은 희망을 부여잡아 본 사람만 낼 수 있는 외침이다.

차 신부는 우리 사회에 시련이 닥칠 때마다 외치고 있을 것이다.

"지금은 희망할 때다!"

희망의 끈

차 신부는 성경을 전문적으로 공부한 성서학자였다. 그는 특히 성경의 원어해석을 통해 성경이 주는 지혜를 깊이 있게 탐구하려 노력했다. '희망'이라는 단어에 대해서도 마찬가지였다.

성경에서 말하는 희망은 어떤 단어로 쓰였으며, 그 의미는 무엇이었을까?

차 신부가 발견한 선물을 열어보자.

'희망'을 나타내는 대표적인 히브리어로 티그바tikvah와 야할yachal이 있다.

티그바tikvah는 희망을 뜻하는 제일 기초적인 단어로, 원래 '밧줄'을 뜻했다. 이 단어가 왜 '희망'이란 단어로 바뀌었을까? [...] 궁지에 몰렸을 때 사람들은 이렇게 말한다. "지푸라기라도 잡는 심정으로......." [...] 절망한 사람에게는 흔히 이런 위로의 말을 건네기도 한다. "희망의 끈을 놓지 마세요."

이런 것들을 보면 당시 이스라엘은 우리와 비슷한 문화적 배경을 갖고 있었던 듯하다. 그네들이나 우리나 '희망'을 상징하는 표상으로 '밧줄'을 연상하였으니 말이다. 희망은 이렇게 붙잡고 늘어지는 것이다.

야할yachal은 '희망하다'를 뜻하는 동사인데 내용적으로는 몸부림치는 희망을 가리킨다. 이 희망은 어려운 상황에서 뭔가를 붙들고 인내하면서 그것이 꼭 이뤄지기를 바라는 마음을 뜻한다. 예를 들면 다음 문장에서 '희망하네'가 바로 야할의 번역어에 해당한다.

"내 고통과 내 불안을 생각함은 쓴흰쑥과 독초와 같은데도 내 영혼은 생각을 거듭하며 안에서 녹아 내리네. 하지만 이것을 내 마음에 새겨 나는 희망하네"(애가 3,19-21).

희망은 이런 것이다. 쉬울 때 희망하면 싱겁다. 어려울 때 억지로 희망하는 것, 그것이 진짜 희망이다. [...]

나의 희망 철학 요지는 이렇다.

"희망, 그것이 우리가 아무것도 희망할 수 없을 때 잡을 수 있는 유일한 희망입니다. 그러니 아무거나 붙잡고 희망이라고 우기세요!"

고백하거니와 이 통찰은 성경의 원어에 담겨 있는 저 희망 영성에서 빌려 왔다.[5]

성경의 원어를 통해 희망 영성을 발견한 차 신부는 아무것도 희망할 수 없을 때라도 '붙들고 우기는 힘'의 이유를 깨닫는다. 진짜 희망은 그렇게 피어나는 것임을!

그는 성경을 통해 그 희망을 더욱 확신하게 됐고, 그것이 축복이라 말하고 있다.

나는 성경을 읽다가 "어쩌면 희망에 대해서 이렇게도 기막힌 표현을 했는가" 하고 무릎을 탁 친 구절을 발견한 적이 있다.

"이 희망은 우리에게 영혼의 닻과 같아, 안전하고 견고하며 또 저 휘장 안에까지 들어가게 해 줍니다"(히브 6,19).

희망이 무엇인가? 닻이다. 희망은 그냥 달려가는 내비게이션이 아니다. 내비게이션은 가다가 딴 데로 갈 수도, 엉뚱한 데로 갈 수도 있다. 그렇다면 닻은 뭔가? 닻은 이미 하늘 나라에 박혀 있다. 처음 우리는 원어 풀이를 하며 '희망'이 '밧줄'이라 했다. 희망이 밧줄이라면, 이제 우리가 할 일은 무엇인가? 줄을 잡아당기기만 하면 되는 것이다. 하여간 방향은 모른다. 그런데 눈 감고 당겨도 닻이 이미 박혀 있기에 상관없다. 우리의 희망은 이런 것이다. 기막힌 우리 희망의 축복이다.[6]

우리는 희망이라는 밧줄을 발견해야 한다. 문제는 그 밧줄을 희망으로 받아들일 수 있는 우리 마음과 의지이다.

'온 힘을 다해 밧줄을 찾고 잡아 당겨라!'

어디로 갈지 몰라 두렵더라도 그 밧줄을 꼭 잡고 당겨야 한다.

당기다 보면 우리는 희망을 느낄 수 있고 그것을 더욱 확실히 발견하게 될 것이다.

희망원리

차 신부는 어느 주간지와의 인터뷰를 통해 절망 속에서 고통으로 신음하고 있는 청년들에게도 희망을 강조하고 있다.

"하나만 얘기할 수 있어요. 아 근데, 우리 젊은이들이 우울해요? 그렇게 많이? 우울에 치료약은 희망이에요. 사람들이 왜 우울하냐, 앞이 안보이니까 우울할 거 아니에요. 근데 그게 무슨 희망이냐고 하면, 근거 없는 희망. 헛소리라도 하고 살으란 말이야. '야, 내가! 뭐 두고 봐, 잘 될 거니까!'"[7]

구어체로 늘어놓듯 말을 해 놔서 정돈은 덜 된 문장이다. 하지만 지금에 와서 다시 읽어도 알갱이는 실하게 전달되었다. '근거 없는 희망', '헛소리', 이런 표현들은 내 희망철학의 핵심요소다. 여기서 진일보한 것이 바로 "아무거나 붙잡고 희망이라고 우겨라!"라는 다소 우악스러운 나의 권면이다.

앞에서도 차 신부는 이 구호를 외쳤다. 잡을 것이 없어도 잡아야 하는 것. 이것은 희망이 없다고 희망을 포기해서는 안 된다는 것이다. 그는 성경에서 소개되는 히브리어 야할yachal을 다시 한 번 강조하면서 희망을 설명하고 있다.

야할yachal은 '희망하다'를 뜻하는 동사인데 내용적으로는 몸부림치는 희망을 가리킨다. 이는 도저히 '희망'이라는 말이 나올 수 없는 상황에서도 뭔가를 붙잡고 우격다짐으로 희망을 주장하면서 집요하게 버티는 것을 가리킨다. 한마디로 '우긴다'는 뜻이다. [...]

이 단어를 처음 접했을 때, 나는 감전되는 듯이 깨달았다.

"맞아, 희망은 우기는 거야! 우길 것이 없는 미래기대는 '전망'이나 '예상'이라 부르지, '희망'이라고 부르지는 않잖아."

여기서 나는 희망원리를 깨달았다. 이후 내가 앵무새처럼 반복해서 강조하는 나의 희망철학 요지는 앞에서 언급한 대로다. 아무거나 붙잡고 희망이라고 우겨라![8]

사람에 따라서는 차 신부가 말한 '희망원리'를 아주 쉽게 이해할 수도 있다. 하지만 그 안에는 처절한 생존 법칙이 들어있다. 바로 반드시 잡아야 한다는 것과 그것만이 나를 살릴 수 있다는 믿음이다.

차 신부는 평생 고심했던 인생의 핵심 주제인 '고통'에 대한 해답을 이 '희망' 안에서 찾으려 한 것이 아닐까.

그리고 그 희망을 붙들면서 우리에게 외쳤는지 모른다.

'나도 잡으니 희망이 보였어, 너도 꼭 잡아봐!'

콜링 효과

희망에 대한 감을 잡았다면, 이제는 실제로 그것을 불러볼 차례다.

희망 효과를 확신한 차 신부는 이를 과감히 대중적 운동으로 발전시켜 나갔다. 그야말로 희망 에너지의 확산인 것이다.

그는 희망을 가슴에만 담지 말고 희망을 부르는 것, 즉 부르기 효과를 강조했다.

내가 부르기(콜링: calling)의 효과를 사실적으로 실감하게 된 것은 '희망의 귀환'을 주제로 한 강의를 통하여 "희망을 부르면, 희망은 내게 온다"는 확신을 퍼뜨리면서부터다. 의외로 반응이 뜨거운 것은 대학생들이었다.

"지금까지 절망만 부르고 다녔는데, 앞으로는 희망을 불러보겠습니다." [...]

본디 『희망의 귀환』의 내용 전체가 희망 '부르기'의 구체적인 방편에 관한 것이니, [...] 결국 "희망을 부르니 정말로 희망이 오더라"는 증언인 셈이다. 이렇게 해서 '부르기' 곧 콜링의 효과에 대한 확신에 점점 힘이 실리게 되었던 것!

콜링은 아직 생기지 않는 긍정적 감정을 불러낼 때 필요하다. [...] "왜 이렇게 무섭지?"라고 네이밍을 하여 부정적 에너지가 어느 정도 소멸되었을 때, 긍정의 기운을 불러낼 수 있다. "이젠 괜찮아, 난 할 수 있어, I can do it." 이렇게 스스로를 향해 콜링을 해 주면 아직 내게 없었던 용기와 결단력이 생겨나게 된다. 부르는 것만으로도 변화가 찾아온다.[9]

희망을 품기 위한 방법의 하나인 콜링은 긍정적 감정이 부정적 감정을 몰아낼 때 효과적이다.

차 신부는 삶을 100이라는 수치로 놓고 볼 때, 절망과 희망이 각각 차지하는 비율에 대해 말한 적이 있다. 결론은 희망이 100에 가까워질 때, 자연스럽게 절망의 자리가 사라지게 된다는 것이다. 이에 희망을 부르는 효과를 더하면 그 수치는 급상승한다.

그래서 희망을 부르는 사람은 자연스럽게 긍정의 에너지로 용기를 얻고 중요한 삶의 결단력을 얻을 수 있게 된다.

그러면 지금 우리는 삶에서 무엇을 바라보고, 또 무엇을 부르고 있는지 묻지 않을 수 없다. 어느덧 내 입에서 희망이라는 단어가 조금씩 새어 나오려 하고 있는지...!

희망의 다이내믹

희망을 가지라고 했지만, 과연 희망이 힘이 있을까 하는 의구심이 생길 수 있다. 희망을 갖는 것이 때로는 막연하게 느껴지기 때문이다.

그러나 차 신부는 희망이 가진 역동성을 확신했다. 어찌 보면 그는 희망의 원리 안에 담긴 이 역동성에 놀랐을 것이고, 그 엄청난 힘에 더 큰 희망을 가졌을지 모른다.

그가 말하는 그 힘은 어떤 것일까?

희망 안에 숨겨진 신비한 힘, 이것을 알게 되면 사실 우리는 어떤 난관도, 절망도 이겨낼 수 있게 됩니다! [...] 희망에는 힘이 있습니다. [...]

희망의 역동, 희망 다이내믹, 희망 모멘텀....

어떤 이름으로 불러도 좋겠으나 여하튼 희망 자체에 엄청난 힘이 내재되어 있습니다. 그러기에 희망이 있어서 희망을 가지라는 것이 아니라, 희망이 없기에 '희망' 자체가 지니는 힘을 빌려서 힘을 내라는 것입니다.

희망 자체가 지닌 힘을 이해하고 확신하기 위해서는 비교군이 필요하다. 차 신부는 희망을 관망과 절망과 대조해 설명했다.

지금 내 앞에 객관적으로 절망스러운 상황이 전개되고 있다고 칩시다. 이럴 경우 나에게 3가지 선택의 기회가 주어집니다. 관망, 절망, 희망, 이렇게 셋!

그런데 그 결과는 판이합니다.

'관망'은 사태를 주시하면서 추이를 무심하게 관찰하는 것을 가리킵니다. 딱 중간, 중립적 입장입니다. '관망'을 택하면 상황은 그대로 일의 풀려나감에 따라서 좋아질 수도, 나빠질 수도 있습니다.

'절망'을 택하면 어떻게 될까요? 순간적으로 다리가 쫙 풀리면서 의욕이 생기지 않습니다. 사기가 떨어지니, 일이 순순히 풀릴 기미가 있어도 악영향을 끼칠 따름입니다. 엎친 데 덮친 격으로 사태의 악화를 부채질할 따름!

하지만 '희망'을 택하면 얘기는 완전딴판으로 바뀝니다. 희망은 주먹을 불끈 쥐게 하고, 없던 기운을 모으고, 주변의 도움을 끌어들입니다. 고집스럽게 희망을 놓지 않으면 결국 이 희망 에너지가 기적을 일으키기 다반사입니다. 이런 이유로 나는 희망에는 내재적인 힘이 있다고 힘주어 말합니다.[10]

차 신부는 자신의 온 삶을 통해 누구보다 희망의 내재적인 힘을 고심했고 연구했으며, 실천한 인물이었다. 특히, 자신에게 자칫 약점이 될 수 있었던 건강 문제를 긍정적인 생각과 함께 초인적인 힘으로 장점으로 승화시켰다.

지병으로 고통스러웠던 그의 삶을 버틸 수 있었던 것은 희망을 갖는 것, 그리고 그 희망이 가진 힘으로 더 큰 기쁨과 희망을 꿈꿀 수 있었던 것이라 생각한다.

희망을 갖는다는 것은 그 내재적 에너지를 얻게 되는 것이다. 그 에너지는 결국 삶을 희망적으로 변화시키는 에너지가 될 것이다.

위기관리 매뉴얼

삶에 위기가 닥쳐올 때, 이를 해결하는 각자의 방법이 있을 것이다. 이런 경험을 바탕으로 우리는 위기가 감지되었을 때, 조금 더 현명하게 대처해 나가곤 한다. 국가나 사회도 마찬가지다. 국가 재난이나 위기가 다가올 때를 대비해 매뉴얼을 항상 준비해 놓는다.

그렇다면 차 신부는 위기관리를 위해 어떤 준비를 해왔을까?

나는 행복과 관련하여, 어떤 일이 닥쳐도 평상심을 유지할 수 있도록 미리 매뉴얼 언어를 만들어 놓고 수시로 스스로에게 들려준다.

"그 무엇도 내 허락 없이는 나를 불행하게 만들 수 없다."

"아무거나 붙잡고 희망이라고 우겨라!"

"스페로, 스페라"(spero, spera: 나도 희망한다, 너도 희망하라).

실제로 차 신부는 이 문장들을 저서와 강연에서 수없이 반복하고 강조했다. 이 문장들의 의미는 무엇이며, 그가 이 문장들을 선택한 이유는 어떤 것일까?

"그 무엇도 내 허락 없이는 나를 불행하게 만들 수 없다."

이는 내가 행복을 강의하는 사람으로서, 또 행복에 관하여 굉장히 중요한 가치관을 부여하고 있는 사람으로서, 스스로가 어떠한 처지에서도 행복할 수 있도록, 머리에 각인해 놓은 문장이다. [...] 곧 감정은 판단의 종노릇을 한다. 그러므로 판단이 허락하지 않으면 불행의 감정은 생길 수 없다.

이 깨달음이 자신 안에서 작동되면 아주 기분 나쁜 일이 생겼어도 전혀 문제가 되지 않는다. "이것도 지나가는 하나의 사건일 뿐 나를 불행하게 만들 수는 없어. 나는 행복해. 끝!" 이렇게 되는 것이다. 용서에 있어서도 그렇다. 우리가 정말 하기 어렵다는 용서라는 것도 생각을 확실하게 고치면 가능해진다.

"아무거나 붙잡고 희망이라고 우겨라!"

이는 희망의 종결자적 문장이다. 희망의 마지막 언어다. 언제 이 말이 유효할까? 희망이 동났을 때, 희망할 건더기가 안 보일 때! [...] 왜 우겨야 하는가? 절망은 답이 아니라 죽음에 이르는 길이기 때문이다. [...] 무조건 희망을 잡아야 한다. 정상적인 희망의 빌미가 없을 때는, 할 수 없이 우겨서라도, 스스로를 속여서라도 아무거나 붙잡고 희망이라고 선언하는 것이 최상의 선택이다.

"스페로, 스페라"(spero, spera: 나도 희망한다, 너도 희망하라).

이 라틴어 격언을 좀 거칠게 번역하면, 속된 말로 "나 같은 사람도 희망한다, 그러니 너도 희망하라"는 뜻이 된다. 여기서 화자는 지금 이 세상에서 가장 비참한 상황에 처한 사람이다. 전철역의 노숙자들처럼 그 딱해마지 않은 사람이 우리들을 향해 "나 같은 사람도 희망해, 그러니 너도 희망하라구!" 하는 격이다.

우리가 현재 "나는 절망이야!"라고 말하고 있는 동안, 우리보다 훨씬 더 절망스러운 상황에서 희망을 가지고 사는 사람들이 있음을 놓쳐선 안 된다. [...] 그런데 우리는 소박하게나마 살 만큼 살면서도 인상 찡그리고 사는 이들이 많다. 잘못된 사고방식으로 인해 속아서 절망의 논리에 빠지는 것이다.[11]

차 신부가 말한 위기관리 매뉴얼은 우리가 위기의 순간 쉽게 놓치는 것들을 다시금 기억하게 한다. 힘들 때, 삶이 고달플 때, 우리는 얼마나 감정에만 충실하고 절망이 이끄는 손길에 쉽게 끌려갔나.

이 같은 차 신부의 매뉴얼을 통해 주체적인 삶의 의지를 다시금 생각하게 된다. 내 삶을 이끄는 나의 주관은 삶의 위기 속에서 무엇을 생각하고, 어떻게 발휘되고 있었나.

때로는 감정에 치우친 마음을 통제할 수도 있어야 하고, 더 나은 희망을 선택해야 한다. 그것은 오직 나만 할 수 있는 일이다.

청춘이 희망

차 신부는 청년들과 만나고 대화하는 것을 좋아했다. 그것은 그들이 갖는 아픔에 공감하면서 힘을 줄 수 있기 때문이었고, 꿈꾸는 그들을 통해 함께 꿈을 공유하며, 더 큰 꿈을 꿀 수 있었기 때문이다.

그는 청춘이 가진 힘을 높게 평가했다. 그리고 그것이 개인과 나라를 위한 '희망'임을 확신했다.

청춘이 희망이다. 무엇이라도 삼킬 듯한 용광로 같은 열정이 있기 때문이다. 중국인 유학생이 적어준 문구는 이것이었다.

"청년은 미래의 희망!"(靑年是未來之希望) [...]

이 글을 접하는 순간 나는 절로 무릎을 쳤다. 그간 젊은이들로부터 반복적으로 들었던 물음이 생각났기 때문이다.

"요즘 전 세계적으로 경제상황이 좋지 않아 미래가 막막한데, 그래도 꿈을 가져야 합니까? 우리는 어디에 희망을 두어야 합니까?"

성의껏 대답은 해 주면서도, 늘 시원스럽지는 못했다. 하지만, 이제 내 답변이 보강되게 되었으니 기쁜 일이다.

우리 먼저 가는 세대는 청년 자네들이 희망이라고 철석같이 믿고 있는데,

자네들은 되레 우리에게 희망이 어디 있느냐고 묻네 그려.

청년의 펄펄 끓는 심장이 희망이 아니라면,

도대체 그놈 희망은 어디에서 찾아야 할꼬!

허허, 청춘이 우리에게 희망을 물으면,

우리는 이제 희망을 어디쯤에서 찾아야 할꼬!

그렇다. 청춘의 심장이 뛰는 한, 그가 희망이다. 두말할 필요 없이 청춘이 희망이다. 청춘의 뜨거운 가슴이 희망이다. 누구라도 아직 열정이 살아있다면, 그 사람이 희망이다.[12]

'희망의 아이콘'인 청춘이 희망을 묻는 것은 자신에게 희망이 있다는 사실을 의식하지 못하기 때문이다. 그러나 두려워 할 것 없다. 조금 더 생각하고 희망을 묻는다면 그리 어렵지 않을 것이다.

차 신부는 더 나아가 나이를 초월해 청춘을 재해석하고 있다. 그 기준은 바로 '뜨거운 가슴'을 가지고 있느냐이다. 나이가 많아도 열정이 살아 숨 쉬는 한 그 안에 청춘의 희망은 살아있는 것이다.

우리 안에도 청춘의 심장은 계속 뛰고 있는가?

나의 희망

차 신부는 자타가 공인한 희망 전문가였다.

문뜩 '그가 그토록 희망한 것이 무엇이었을까' 하는 궁금증이 생긴다.

그저 위기 속에서 희망을 부르짖는 것만 강조했을까, 아니면 그가 진짜로 추구하는 것은 무엇이었을까?

내가 애써 추구하는 것은 '의미'다. 내가 늘 희망을 이야기하는 까닭도 그것이 의미있는 일이기 때문이다. 나에게 의미가 빈약한 명예나 권력은 전혀 매력이 없다. 오히려 영혼에 유익하지 않을 뿐더러 공허하기까지 하기 때문이다.

내가 본격적으로 '의미'를 추구하게 된 것은 전적으로 세계적인 심리학자 빅터 프랭클 덕이 크다. 나는 그의 저서들을 읽으면서 인간은 원초적으로 '의미에의 의지'를 지녔다는 통찰에 무릎을 쳤다. 그에 의하면 인간을 궁극적으로 행복하게 해 주는 것은 존재의 '의미'다.

의미란 무엇일까? 의미란 관계 안에서 발견되는 존재의 보람이다. 나는 남을 기쁘게 해 주고, 절망한 사람들에게 희망을 주고, 상처받은 사람들에게 위로를 주며, 도움이 필요한 사람들에게 도움을 줄 때 의미를 발견한다. 사실 진정한 의미는 이런 것들보다 훨씬 큰 것이다. 하지만 이런 작은 일들에도 분명코 의미가 있다.

차 신부는 희망을 얘기하고 전하는 일을 '의미 있는 일'로 여겼다. 그가 의미를 추구했던 까닭은 삶의 보람을 느끼기 위해서였다.

그것은 사제로서 타인을 위해 헌신적으로 봉사한 그의 삶을 통해 더욱 극대화됐다. 물론 가끔 이런 그의 삶에 대해 다음과 같이 묻는 사람들도 있었다.

"왜 당시 인기 있었던 공대를 졸업하고, 길을 바꾸셨습니까?"

나는 일부러 짓궂은 어투로 답한다.

"성공할려구요."

장난기 섞인 답변이지만 나의 흉금을 담고 있음엔 틀림없다. 그렇다. 나의 소원은 성공하는 것이다. 나는 성공을 원한다. 그런데 성공도 성공 나름이다. 나는 부, 명예, 권력, 이런 것들이 '성공'이 아니라고 말하고 싶지는 않다. 이런 것들은 나름대로 성공의 요건이 된다. 하지만 진정한 성공이라고 말하기는 어렵다. 진정한 성공은 그 이상의 것이어야 한다. 진정한 성공은 이런 것들보다 더 많고 더 크고 더 높은 것이다.[13]

차 신부의 소원은 '성공'이었다. 하지만 그가 말하는 성공이란 세속적인 의미와는 조금 달랐다. 그는 진정한 성공을 원했다. 그것은 세속적인 성공보다 '더 많고 더 크고 더 높은 것' 곧 그가 앞에서 말한 의미 있는 일을 하는 것으로 여겨진다.

단순히 나 혼자만의 성공이 아닌 다른 이들과 함께 절망의 고통을 나누며 희망을 전하고 사랑을 나누는 삶, 그는 그것을 성공의 요건으로 보지 않았을까.

신앙인의 역할

평생 사제로 살아왔던 차 신부는 그가 가진 신앙인의 역할에 대해 어떻게 생각했을까? 물론 그는 사람들에게 절망 속에서 희망을 잡게 하는 역할을 했다.

그러나 더 근본적으로 신앙인은 무엇을 해야 하는지 그의 얘길 들어보자.

어느 인터뷰에서 나는 '종교인의 역할'에 대한 질문을 받았다. 내 대답은 이랬다.

"사람들이 더 깊이 보고, 더 멀리 보고, 더 높이 볼 수 있도록 도와주는 겁니다."

무슨 의미인가?

더 깊이 본다는 것은 무엇인가? 우리가 살아가면서 조금만 더 깊이 보면, 피상에 머물고 표피에 머물고 껍데기 붙들고서 아등바등 하던 모습을 탈피하여, 알맹이 또는 핵심을 잡고 더 이상 헤매지 않게 된다. 그러면 진리가 보이고, 근원까지 이르게 된다.

더 멀리 본다는 것은 무엇인가? 더 멀리 보면, 그동안 근시안적으로 실패, 좌절, 절망으로 단언되던 것들이 새롭게 희망 또는 가능성으로 보이게 된다. 그리하여 미래가 보인다.

더 높이 본다는 것은 무엇인가? 지금까지 지평선 아래에만 시선이 머물러 그저 물질적·동물적인 존재로만 살아오던 모습을 떨치고 하늘을 비상하는 존재로 자의식을 갖게 된다. 그러면 우리 마음속 고상함이 마치 하늘의 독수리처럼 날 수 있다. 인간은 원래 고상한 존재, 초월적 존재다.

차 신부는 '보다'라는 동사를 통해 신앙인의 역할을 재조명했다.

결론적으로 그는 근시안적인 시선을 탈피해 깊고 넓게 그리고 멀리 봄으로써 삶의 문제 속에서 출구(답)를 찾게 하는 것이 신앙인의 역할이라 보았다. 그러면서 이를 주저하는 사람에게 경종을 울린다.

얕게 보고 짧게 보고 낮게 보는 사람이 내리는 결론이 '없다', '끝이다', '외통수다'지만, 깊이 보고 멀리 보고 높이 보는 사람이 내리는 결론은 '있다', '출발이다', '출구다'인 것이다.[14]

삶의 근원을 마주하게 하는 것.

깊이 있게 삶을 보게 하는 동반자적 역할 속에서 차 신부는 그가 걸어가야 할 길을 묵상했다. 그리고 그 길을 함께 걷자고 우리를 초대하고 있다.

위의 것을 희망

차 신부가 저서에서, 또 강연에서 자주 강조한 신앙적 주제는 '축복과 은총' 이었다. 그렇다면 '십자가'는?

이 질문에 답을 얻으려면, 차 신부가 전하고자 하는 것의 의도가 무엇이었는지를 먼저 파악할 필요가 있다.

사실, 나도 가끔 오해를 받는다. 너무 축복과 은총만 강조하는 거 아니냐는 것이다. 결코 아니다. 물론 초보신자들에게는 축복과 은총을 강조하지만 중급, 고급으로 넘어오면 십자가를 강조하기 시작한다. 아직 초보일 때는 사탕도 먹어야 하고 기운도 차리게 해 줘야 하니까 축복과 은총을 강조하는 것이다.

고백하건대, 나는 연구소 가족들한테 굉장히 엄하다. 왜인가? 그들은 이미 믿음의 선수들이기 때문이다. 십자가를 지고 갈 수 있는 내공이 쌓여있기 때문이다.

결국 우리는 축복과 은총만 구할 게 아니라 십자가도 함께 구해야 한다. "삶에서 뭐 먹을까, 뭐 마실까, 뭐 입을까"도 구하지만 "하느님 나라와 하느님 의"도 같이 구해야 하는 것이다.

다만, 여기에도 원리가 있다. 아랫것을 구하면 위의 것이 포함되지 않지만, 위의 것을 구하면 아랫것은 의당 포함된다는 원리다. 그러니 어떻게 해야 하겠는가. 아랫것을 무시하지 않은 채 먼저 위의 것을 구하는 것이 상책이다.[15]

차 신부의 말을 더 쉽게 이해하기 위해서는 마태오 복음 6장 31-33절의 말씀을 참고할 필요가 있다. 복음의 주된 골자는 "먼저 하느님의 나라와 그분의 의로움"(33절)을 찾으라는 것이다. 차 신부는 이 복음 말씀을 삶에 적용한 것이다.

신앙에도 단계가 있다. 그의 표현을 빌자면 초급부터 고급으로 구분되지만, 상식적으로 아직 신앙에 입문했거나, 발만 살짝 담가 둔 상태라면 신앙에 매력을 느낄만한 시간이 분명 필요한 것이다. 그러나 본질로 들어가는 단계에서는 반드시 '십자가'를 만날 수밖에 없다.

차 신부는 신앙인으로서 무엇을 우선적으로 구해야 하는지에 대한 기준을 알려주고 있다. 그것은 '위의 것', 곧 하느님 나라와 그분의 의로움이다. 신앙의 맛을 느끼고 주님의 은총과 축복을 경험한 사람은 이 기준의 의미를 깨닫고 삶으로 살아갈 것이다. 차 신부는 이 '위의 것'을 추구하는 삶을 더 잘 살기 위해 그들 곁을 동반하지 않았을까.

성취의 비밀

앞서 차 신부는 '말하는 대로'라는 주제를 통해 말하는 대로 이루어지는 힘을 강조했었다. 그럼 그 자신의 삶은 정말 그가 말하는 대로 이루어졌을까?

내가 대학교 4학년 때의 일이다. 친구하고 둘이서 "우리가 30년 후에는 뭐가 되어 있을까" 하고 이야기를 나눈 적이 있다. 그때 친구는 "교수가 되어 있을 것"이라고 말했다. 지금 그 친구는 정말 교수가 되어 있다.

나는 그때 로마서 12장 1절 "여러분의 몸을 하느님 마음에 드는 거룩한 산 제물로 바치십시오"라는 말씀에 사로잡혀 있는 중이었다. 하지만 어떠한 결단도 아직 내리지 못했던 때였기에 사회생활을 염두에 두고 있던 터였다. 그런데 그때 대답을 찾던 순간, 그림이 하나 잡혔다. 그래서 그대로 친구에게 얘기했다.

"나는 말이야 그때쯤에는 성경책 하나 들고 괴나리봇짐 메고 전국을 복음 전하러 돌아다니고 있을 거야, 사도 바오로처럼."

그게 진정 무엇을 의미하는지도 모르고 툭 던진 말이었다. 사실 이는 꼭 사제가 되겠다는 약속과는 다른 성질의 것이었다. 30년 후에 라는 조건이 달린 물음에 대한 응답으로서만 유효한 것이었다.

그런데 지금 나는 무엇을 하고 있는가? 나는 지금 전국을 다니며 강의를 하고 있다. 복음을 전하고 있는 것이다. 그리고 내년이면 그로부터 딱 30년이 된다!

차 신부가 젊은 시절 친구와 나눈 말은 결국 사실이 됐고, 그는 이 같은 삶을 평생 살았다. 실제로 차 신부의 저서와 증언을 들어 보면 그가 했던 많은 말들이 현실에서 대부분 이루어졌음을 알게 된다.

그렇다면 말하는 대로 이뤄지게 한 그의 비밀은 무엇이었을까?

지금 나에게 주어진 레마는 무엇일까? 얼마만큼의 시간이 걸릴 지는 아무도 모르는 일이지만 반드시 이루어진다는 사실만은 틀림없다. 결과에 집착하지 말고 과정을 즐기자.

"그 말씀들은 하나도 빠지지 않고 모두 제때에 성취될 것이다. [...] 하느님께서 하신 말씀은 모두 그대로 실행되고 그대로 이루어진다는 것을 나는 알고 또 믿는다. 그 말씀들은 하나도 어김이 없다"(토빗 14,4).[16]

차 신부는 자신이 한 말에 대한 믿음과 확신이 있었다. 물론 이것으로만 가능한 것은 아니었다. 그러나 자신이 원하는 것을 희망하고, 결과에 집착하지 않은 채 성실한 삶을 살면, 그에 따른 선물이 반드시 있다는 것이다.

그리고 그에게는 기다림의 전문가적 기질이 있었던 것이다. 끊임없이 자신이 원하는 것을 인내하며 기다릴 줄 아는 노력이 그에게 있었다.

그것이 크건 작건 우리는 각자 원하는 것이 있다. 또한, 우리는 원하는 것을 당장 현실로 이루고픈 조급함도 가지고 있다. 하지만 조금만 인내하면서 반드시 그것이 이루어 질 것이라는 희망을 포기하지 말자. 그리고 성실하게 노력하자.

꿈을 현실화 하는 법

차 신부는 희망이 이루어질 것임을 반복하라 알려줬다. 그것은 어떤 주문이 아니라 희망하는 사람의 의식과 온 힘을 거기에 집중하라는 것이다.

그러면 각자 희망하고 꿈꾸는 것을 현실화하기 위한 다른 방법은 없을까? 이에 차 신부는 사람의 의식과 관련해서 꿈에 대한 이미지를 그려볼 것을 조언한다.

꿈을 현실화하는 데 가장 유용한 방법은 그것을 이미지로 시각화하는 것이다. 자신과 자신이 원하는 모습에 대한 성공적이고 이상적인 목표를 세워 매일 그것을 생각하고 바라보면, 우리는 그것을 현실로 만들 수 있다.

기회가 있을 때마다 시각화를 하여 머릿속을 이상적인 그림으로 가득 채우자. 그리하면 잠재의식은 우리가 그린 성공 이미지에 맞도록 우리의 말과 행동, 감정을 조절하여 꿈의 성취를 향해 나아갈 것이다.[17]

꿈과 희망이란 단어를 무척 좋아했던 차 신부는 스스로 그 꿈을 자주 상상하고 머릿속으로 그리는 훈련을 했을 것이다. 이것을 그는 '시각화'(visualization)라는 단어로 표현했다.

꿈을 꾸는 사람은 시각화를 통해 머릿속으로 그 꿈을 그려 나가면서 꿈에 대한 부푼 희망을 갖게 된다. 결국 그것은 그가 그리는 꿈에 맞도록 삶을 다시 디자인하게 만드는 것이다.

우리는 우리 꿈을 얼마나 시각화하고 있나. 아니 적어도 꿈이라는 것의 윤곽을 잡으려 하고 있나. 만약 꿈을 그리기 시작했다면, 이왕 그리기 시작한 것 좀 더 크고 멋지게 그려보자. 우리 삶이 어떻게 변화될지는 그리는 그 그림에 달려 있을지 모르니까.

제6장

감사의 기적

감사는 상생

차 신부를 밀리언셀러 작가로 만든 대표적인 저서는『무지개 원리』이다. 그는 이 책을 통해 절망 속에서 신음하고 꿈을 잃어가는 우리 사회에 '희망'을 다시금 불러일으켰다.

'무지개 원리'를 통해 그는 긍정적인 대안운동을 펼치면서 희망적인 의식 전환을 촉구했다. 그러면서 '감사의 문화'가 우리 사회 전반에 뿌리 내리길 희망했다.

그가 말하는 감사의 문화는 우리에게 왜 필요한 것인가?

'무지개 원리'는 대안운동이다. 우리 국민을 세계에서 가장 희망적인 국민으로 이끌어줄 의식개혁 운동인 것이다.

지금 대한민국은 소통체증으로 몸살을 앓고 있다. 상대방을 배려하지 않은 언어폭력, 포퓰리즘에 기반을 둔 무책임한 비판문화 등이 SNS와 인터넷 악성 댓글을 타고 자유로이 활개친다. 이런 것들은 심히 파괴적인 결과만을 가져올 뿐이다. 언어는 곧 문화이기에 언어폭력과 비판적인 언어가 만연될수록, 폭력적이고 거친 심성이 그 사회를 지배하게 마련이다.

이런 맥락에서 나는 감사 문화의 확산이 바로 행복한 대한민국의 미래를 담보한다고 믿고 있다. '거리'를 굳이 찾으려 하지 말고 먼저 무조건 감사의 말을 서로에게 해보자. 감사라는 말 자체가 감사할 '거리'를 가져다 줄 것이다.

그렇다. 감사는 상생이다. 지금 우리들의 숙제인 상생의 윤활유다.[1]

차 신부는 감사 문화가 확산돼야 하는 이유를 우리 사회를 병들게 하는 소통 문화로 설명했다. 서로가 서로를 폭력과 비판으로 대한다면 우리 사회가 남아나겠는가.

이를 해결하기 위해서는 서로를 인정하고 서로에게 고마워할 줄 아는 문화를 만들어야 한다. 이런 문화는 선한 마음에서 비롯된 문화이고, 차 신부는 그 마음을 다시금 회복하기 위해 '감사'의 키워드를 꺼낸 것이다.

감사를 통해 우리 안에 상생의 문화를 키워나가야 할 시간이 왔다. 상대방이 있기에 내가 있기 때문이다. 우리는 서로가 서로를 필요로 하고 서로에게 힘이 될 수 있는 존재다. 감사는 이러한 힘을 더욱 증대시킨다.

덕분에

한 사람이 발전할 때, 그와 그의 일을 더욱 성장시키는 요인은 무엇일까? 여러 가지가 있겠지만 그중 한 가지는 과거를 되돌아보고 지나온 날들에 대해 감사할 줄 아는 마음일 것이다.

차 신부는 이런 원리를 성경에서 발견했다.

"저희 조상은 떠돌아다니는 아람인이었습니다"(신명 26,5).

이 말은 곧 "우리 조상은 떨거지였어요"라고 하는 것과 같다. 처음에 그들은 떨거지였다.

사실 믿음이 없는 사람들은 조상들을 미화하고자 한다. [...]

하지만 믿음이 있는 사람들은 조상을 있는 그대로 고백한다. 이를 '커밍아웃'이라고 할 수 있다. 그래서 "우리 조상은 부족한 조상이고 나는 혈통도 별로 안 좋고, 다 안 좋은데 하느님 은총으로 이렇게 풍요롭게 받았다"라고 고백할 때, 이것이 신앙이 되는 것이다.

그리고 자신의 과거를 되돌아보며 감사의 원리를 실천했다.

나는 이 구절이 너무 마음에 들어서 박사 학위 논문을 쓰고 서문 첫 머리에다가 "우리 조상은 떠돌아다니는 아람인이었습니다"라고 썼다. 아무것도 모르고 완전히 떨거지 같았던 내가 주님의 은덕으로 유학까지 가서 논문을 쓰게 되었다는 생각이 들어서였다. 그리고 맨 끝 문장에다가는 신명기 26장 10절 말씀을 인용하여 이렇게 썼다.

"그래서 이제 저희가 주님께서 저희에게 주신 땅에서 거둔 수확의 맏물을 가져왔습니다."

공동번역에는 여기의 '그래서'가 '그런즉'으로 나와 있다. 훨씬 운치가 있다. "다, 모두, 제게 속한 모든 것, 제가 일군 모든 농사, 하나같이 덕분입니다. 그런즉 도로 바칩니다." 바로 이런 마음이었다.[2]

우리가 하는 모든 일을 단지 스스로의 능력으로 이루었다고 생각하는가?

차 신부가 많은 일을 했고 좋은 결실을 맺은 데에는 한 가지 비결이 있다. 그것은 누구보다 감사의 마음을 느끼고 잘 표현할 줄 아는 것이었다. 그는 감사를 통해 자신의 부족함을 인정하고 자신이 걸어온 길을 기적같이 여기며, 그가 믿는 주님께 그 모든 공을 돌리는 사람이었다.

감사는 또 다른 감사를 부른다. 감사하면 감사할 일이 더 많이 생기는 법이다.

불평 속에서도

감사에도 시기가 있을까?

차 신부 곁에는 항상 많은 사람들이 있었고, 그들은 차 신부에게 많은 기도를 부탁했다.

기도의 주된 내용은 '가족의 건강과 행복 그리고 갖가지 어려움의 극복' 등이었다. 시련 속에서 고통을 겪고 있는 많은 이들의 시련과 고통을 차 신부는 자신의 일처럼 안타까워했고, 그들을 위해 전심을 다해 기도했다. 그리고 그와 함께 기도한 이들은 기도의 응답이 있을 때마다 기뻐하고 감사했다.

그러나 기도의 응답이 그렇게 쉽게 오는 것만은 아니었다. 오랜 시간 인내도 필요했다. 그럴 때, 희망과 감사가 갖는 힘이 더 많이 발휘되어야 했다.

감사는 언제 해야 하는가? 좋은 일이 일어날 때만 하면 안 된다. 특히 지금 가장 감당하기 어렵고 이해하기 어렵고 소화하기 어려운 일이 눈앞에 있을 때, 그것을 놓고 감사할 줄 아는 사람이 진짜 믿음 있는 사람이며 감사 드릴 줄 아는 사람이다. 이런 사람은 지금 현재 자신의 눈에 보이는 불행도 금세 축복으로 둔갑하는 기적의 주인공이 된다.

믿음이 없는 사람은 감사를 드릴 수가 없다. 당장은 고통이요 절망만 보이지만 양파 껍질 벗기듯이 껍데기를 벗겨 보면 그 속에 축복이 있음을 믿기에 감사를 드리는 것이다. 그러기에 감사를 계속 하는 이에게는 선순환이 일어나고, 불평을 일삼는 이에게는 악순환이 일어난다. [...] 불평이라는 것은 짧은 생각에서 비롯된다. 불평하는 그 가운데에도 감사할 일이 있다. 그런데 지금 그것이 실패로 보이니까, 결론으로 보이니까, 믿음이 짧으니까, 불평하는 것이다. [...] 따라서 통째로 바꿔야 한다. 항상 감사와 찬미를 달고 살자. 그러면 좋은 일이 일어난다. [...]

감사를 모르는 사람은 자신 안에 '만족'과 '평화'와 '기쁨'이 없어서 그러는 것이다. 역으로 감사를 일부러라도 하면, 점점 이 모든 것들이 저절로 자신의 내면에 차고 넘치게 된다. 감사의 표정 속에 이들 세 가지가 함께 어우러져 춤을 추는 것이다.[3]

감사하는 사람에게는 선순환이, 불평을 일삼는 이에게는 악순환이 일어나는 원리를 차 신부는 일깨워주고 있다. 우리 삶을 돌이켜 보더라도 긍정과 감사를 외칠 때, 삶의 기쁨과 힘이 솟아나오지 않았던가. 물론 좋은 일이 생길 때만 감사를 외친다면, 선순환은 금세 악순환으로 기울어질 것이다.

선순환이 지속되길 원한다면, 시련과 불평 속에서도 감사를 외쳐보자. 우리 앞에 있던 악순환은 어느새 선순환으로 변화되고 있을 것이다.

천국의 3대 언어

우리는 감사를 잘 하고 있는 사람인가? 좋은 일이 생길 때 감사하는 마음을 갖는 것은 쉽고 당연한 일일 수 있다. 그러나 반대의 경우엔 쉽지 않다.

차 신부는 기도할 때 응답을 느끼지 못하거나, 응답이 너무 늦게 오는 이유를 바로 자신이 빼놓고 하지 못한 감사 때문이라고 성찰했다. 이를 통해 그는 좀 더 자신의 삶에 감사해야 할 순간을 소중히 여기게 된다.

기도하다 보면 가끔 이런 말이 불쑥 튀어나올 때가 있다. "요즘엔 왜 응답이 안 올까? 기도 끗발이 떨어졌나?" 이런 때 바로 점검이 필요한 순간이다. 응답이 안 오는 이유는 틀림없이 내가 떼먹은 감사가 있기 때문이다. [...]

이런 까닭에 나는 감사를 천국의 3대 언어라고 역설한다. 아멘, 알렐루야, 그리고 감사!

이 세 단어를 자주 쓰는 사람에겐 지금이 천국이고 여기가 천국이다. 그러기에 나는 요즘 나의 철학이요 영성인 '무지개 원리' 풀이도 '감사'

로 마무리한다. [...]

'무지개 원리' 하나하나와 감사를 연결시켜 보면 그 상관관계가 더욱 뚜렷하게 드러난다. 긍정적인 생각, 지혜의 씨앗, 꿈, 성취신념, 말, 습관, 포기하지 않음! 이 일곱 가지가 하나같이 '감사'와 호환된다. 곧 '무지개 원리'의 완성은 감사다.[4]

차 신부가 말한 천국의 3대 언어인 '감사'는 삶을 소중하게 여기고 정성을 다하는 사람의 언어다. 아주 사소한 일에도, 그것이 꼭 좋지 않을 일이어도 감사히 여길 줄 아는 마음이 천국을 살아가는 사람들의 말이 아닐까.

그는 천국의 언어를 사용했고, 천국에서 살고 싶은 사람들에게도 그 언어와 방법을 제안했다. 기쁨과 행복이 넘치는 천국에서 쓰는 '감사'를 우리도 자주 사용해 보면 어떨까.

마음을 잇는 다리

사람의 마음을 잇는 방법은 무엇일까? 만남이나 전화로 소통하는 방법을 떠올릴 수 있고, 선물 등 기타 상대방에게 자신의 마음을 전하는 방법이 있을 것이다. 중요한 것은 마음을 서로 나누었냐는 데에 있다.

차 신부는 마음을 서로 연결하는 데 있어서 으뜸 역할을 하는 것을 '감사'로 보았다. 왜 그런지 2011년 안식년 동안 체험한 그의 말을 들어보자.

마음을 잇는 다리 역할을 하는 말 가운데 '감사'는 단연코 으뜸 자리를 차지한다. 감사는 칭찬하고도 다르고 격려하고도 다르다. 감사는 사람들 사이에 다리를 놓는 단어다. [...]

2011년 안식년을 보내면서 번역한 『365 Thank You』(2011)라는 책의 내용은 한 미국인 변호사의 실화를 담고 있다.

이야기는 개인적으로나 가정적으로나 사업에서나 총체적으로 파산에 직면한 변호사 존 크랠릭의 심리적 공황에서 출발한다. 절망과 방황의 늪에 빠져 있을 때 그는 여차저차해서 "네가 지금 가지고 있는 것들에 감사할 줄 알기까지는, 너는 네가 원하는 것들을 얻지 못하리라"라는 하늘의 음성을 듣는다. 달리 방도가 없었던 그는 일단 주변사람들에게 감사편지 쓰기를 시도해 보기로 한다. 놀랍게도 일단 실험적으로 시작한 이 감사편지는 즉각적이며 연쇄적인 성과를 가져온다. 그리고 이는 그동안 삐걱거렸던 모든 인간관계는 물론 계속 적자를 면치 못하고 있던 사업에서 기대하지 못했던 치유, 화해, 회복, 그리고 극적인 반전까지 가져온다.

이 책은 감사에 대한 나의 생각을 보다 실제적이고 깊이 있게 만들어 주었다. 그 이후 나에게 '감사' 정보가 몰려들기 시작했다. 지인들이 날라다 주고 체험담도 모이고 했다,

'감사'는 나 자신에게 적용하고 있는 궁극의 언어이고, 내가 사람들에게 권하는 '만병통치' 처방이다.[5]

차 신부는 우연히 번역을 의뢰받은 책 한 권으로 자신이 '무지개 원리'를 통해 고민했던 감사의 힘을 다시금 체험하게 된다. 그의 말처럼 감사는 칭찬과 격려와는 다른 성질의 것이다. 이 감사를 통해 사람 사이의 벽이 허물어지고, 그로 인해 치유와 회복의 장이 열리게 되는 것이다.

감사는 인간관계를 더욱 깊게 만들고, 그 깊은 맛을 느끼게 해 준다. 차 신부가 적용하고 있는 궁극의 언어인 만큼 우리도 감사의 힘을 느껴보자.

감사의 원천

앞서 차 신부에게서 '무지개 원리'의 완성은 '감사'라는 말을 들었다. 그만큼 무지개 원리의 일곱 가지는 감사의 코드와 깊은 연관을 갖고 있다는 말로 해석된다.

무지개 원리의 일곱 가지는 다음과 같다.

첫째, 긍정적으로 생각하라.

둘째, 지혜의 씨앗을 뿌려라.

셋째, 꿈을 품으라.

넷째, 성취를 믿으라.

다섯째, 말을 다스리라.

여섯째, 습관을 길들이라.

일곱째, 절대로 포기하지 말라.

그중 감사의 원천을 담당하고 있는 것은 '긍정적 생각'이다. 상식적으로 긍정적인 생각을 가진 사람이 감사보다 불평을 더 많이 털어놓지는 않는다.

그럼 긍정적 생각은 어떻게 감사의 원천이 될까?

감사는 긍정적인 생각을 전제로 한다. 아무래도 감사 거리를 찾으려면 긍정적 생각이 필요한 법이다. 부정적인 생각을 가진 사람은 죽었다 깨어나도 감사의 이유를 모른다. 그에게는 모든 것이 걱정거리이며 불만의 계기이기 때문이다.

긍정은 불평불만조차도 감사로 바꾸어 준다. 역으로 무조건 감사하는 법을 배우기만 해도 불평불만은 사라지고 긍정적인 생각의 길이 나게 된다.[6]

차 신부는 긍정적 생각의 역동적인 힘을 강조했다. 긍정적인 생각을 가진 사람은 부정적인 환경 속에서도 그것을 뒤엎을 힘을 갖고 있다는 것이다.

특히, 그런 사람은 감사할 거리를 발견할 수 있는 사람이란 점에 차 신부는 집중한다. 긍정적인 사람은 감사할 줄 아는 사람이고, 반대로 감사하는 사람은 긍정적인 에너지를 소유할 가능성이 높다. 이런 상호관계의 힘이 한 사람의 삶을 긍정적으로 이끌어 가는 지름길임을 차 신부는 알려준 것이 아닐까.

지혜의 씨앗

감사하는 삶을 선택하면 어떤 일이 벌어질까? 차 신부는 이것을 앞서 언급한 불평의 악순환과 대조적인 '선순환적 효과'로 설명하고 있다.

감사를 선택하는 것은 자신의 과거나 현실 상황에서 감사 거리를 발견하는 일이다. 그것은 다시 순환적으로 자신의 삶에서 감사의 순간을 맞이하게 되는 비결을 담고 있다. 차 신부는 이 과정을 깨닫는 삶을 '지혜'라고 말한다.

'지혜의 씨앗'과 감사의 관계는 또 어떠한가.

지혜는 감사의 선순환을 깨달아 안다. 감사는 '선순환'을 가지고 있다. 물론 불평의 '악순환'도 있다. [...]

먼저, 자신의 인생을 '축복'으로 인정하는 사람. 이 사람은 즉각 '감사'하게 된다. 그 감사는 곧바로 '나눔'으로 이어진다. 그리고 그 보상으로 다시 축복을 받게 된다. 이렇게 해서 감사의 선순환이 반복되는 것이다. [...]

한편, 자신의 인생에 불만을 갖고 '팔자타령'을 하는 사람. 이 사람은 '불평'이 절로 나온다. '나는 받은 것이 없어', '내 삶은 불행의 연속이야'

등. 그러면 '인색'해져서 나눌 줄도, 감사할 줄도 모른다. 이렇게 인색하니까 또 축복을 받지 못하게 되고 다시 '불평'만 나온다. 이처럼 불평의 악순환이 반복되는 것이다. [...]

출발의 상황은 똑같다. 독자들은 어느 순환 속에 들어가고 싶은가? 내가 지금 불평의 악순환에 있다면 빨리 끊어 버리고 감사의 선순환으로 돌아올 일이다.

또 하나. 감사를 자주 하다 보면 점점 지혜가 깊어진다. 감사 거리를 찾다가 심미안이 열리게 되는 것이다.[7]

결론적으로 감사의 선순환을 잘 이해하면 인생의 지혜가 그만큼 깊어지게 되는 것이다. 그 지혜는 그것을 선택한 사람에게 인생의 축복을 맛보게 하고, 결국 그를 행복의 삶으로 초대한다.

차 신부는 감사와 불평 속에서 어떤 것을 바라보고 선택해야 하는지 그 원리를 설명했다. 중요한 것은 우리가 무엇을 선택하느냐이다.

큰 꿈을 위해

차 신부는 감사가 자신의 꿈과 깊은 관계가 있다고 보았다. 감사는 긍정의 에너지와 연결되며, 감사를 통해 본 세상은 부정적으로 꿈꾸는 세상과 만나지 않는다.

차 신부는 감사와 긍정 그리고 꿈의 상관관계를 깊이 있게 이해한 사람이다. 이런 통합적인 에너지는 결국 자신의 큰 꿈과 긴밀하게 연결된다.

'꿈'과 감사의 관계 역시 밀접한 상생관계다.

감사하는 사람은 과거를 긍정적으로 평가하기에 미래를 두려워하지 않는다. 반면, 감사하지 않는 사람은 대체로 과거를 부정적으로 보며, 따라서 미래를 두려워한다.

그러기에 감사할 줄 아는 사람이 낙관적으로 꿈을 품을 줄도 안다.

그러므로 큰 꿈을 품으려면 크게 감사할 줄 알아야 한다.[8]

누구나 미래에 대한 불안감과 두려움이 있을 것이다. 그러나 꿈꾸는 사람에게는 그것들과 마주할 힘이 반드시 존재한다. 그렇게 꿈꾸기 위해서 차 신부는 감사의 에너지의 도움을 받아야 함을 강조했다.

감사를 통해 더 긍정적이고 보다 나은 미래를 꿈꾸길 희망하며...!

신념의 가장 강력한 표현

자신의 꿈에 확신이 생긴다는 것은 이에 대한 굳은 믿음과 그것을 이룰 힘이 있다는 전제에서 비롯된다. 비록 자신의 힘이 아직은 나약하고 이룬 것이 많지 않더라도, 그가 꿈을 꾸고 이에 대한 확신을 가진다면 그 꿈이 이루어질 확률은 더 높지 않을까.

차 신부의 경우도 마찬가지였을 것이다. 지병으로 오랜 시간 고통을 겪었던 그에게 연구소를 설립하는 일은 쉽지만은 않은 일이었다. 초기 자본도 거의 없었고, 인력자원도 충분하지 않았다.

이런 상황에서 인천교구장의 뜻과 함께 2001년 '미래사목연구소'를 세우면서 그는 무엇을 꿈꿨을까? 물론 차 신부는 자신의 명예와 사회적인 부를 쌓기 위해 연구소를 설립하지는 않았다. 그가 본 희망이 '진짜 진리'라는 것을 사람들에게 알려주고 '진짜 행복'으로 나아가는 길을 제시하고 싶었던 것이다.

그는 부족한 환경 속에서도 기도와 전심의 노력으로 하루하루 그가 꿈꿔왔던 미래를 확신하게 되었다. 그렇게 그에게는 성취에 대한 믿음이 있었다. 여기에 또 한 가지 그만의 특별한 비밀이 하나 있었다. 그것은 꿈꾸는 것이 '이미 이루어졌다'고 믿는 것이다.

'성취에 대한 믿음' 곧 '신념'과 감사는 한마디로 찰떡궁합이다.

신념을 실행하는 가장 좋은 길 중 하나가 '마치 이루어진 듯이' 행동하는 것임을 앞에서 언급한 바 있다. 이를 감사에 적용하면 놀라운 일이 일어난다. '마치 이루어진 듯이' 미리 감사하면, 진짜 이루어지는 것이다.

꿈이 이루어지면 감사하겠다는 마음이 아니라, 안 이루어져도 미리 감사하는 태도를 갖으라. 성취의 확률을 더 높여 줄 것이다.[9]

차 신부는 사람들에게 아직 이루어지지 않은 자신의 바람(꿈)을 마치 이미 이루어진 것처럼 말할 때가 종종 있었다. 잘못 들으면 이미 그것이 이루어진 것으로 착각할 때도 있었다.

그런데 차 신부가 한 일들을 보면, 그는 이미 자신의 일에 대한 믿음이 있었고, 그것은 온전히 홀로 해낸 것이 아님을 발견할 수 있다. 그 바탕에는 신앙이 존재했다. 차 신부는 그의 모든 일을 주님과의 긴밀한 대화 속에서 추진했다. 그 모든 일은 주님께서 주관하심을 믿고 있었다.

그래서 그는 '이미 자신의 일이 이루어졌다'고 믿은 것이다. 신앙적 측면에서 주님께서 자신의 바람을 그렇게 이루어주실 것이라는 믿음이 깔려있었다.

차 신부는 이런 과정 속에서 꼭 감사의 마음, 감사의 기도를 바쳤다. 그것이 바탕이 되지 않으면, 그의 믿음은 거짓이 될 수 있었기 때문이다.

이처럼 감사의 힘은 자신이 꿈꿔온 것에 대한 확신, 신념의 힘으로 발전하게 된다.

큰 꿈을 갖고 그것을 이루길 원한다면 감사의 마음을 가져보자. 어떤 힘으로 우리에게 되돌아오는지.

감사의 한마디

감사의 마음 못지않게 중요한 것이 감사의 표현이다. 아무리 마음으로 감사를 느낀다 하더라도 그것을 표현하지 않는다면 서로 오해가 쌓일 수 있고, 그 마음도 충분히 전달되지 못한다.

차 신부는 그의 저서『천금말씨』에서 3대 천금말씨 가운데 하나를 '감사'로 손꼽았다. 그런데 감사를 생각하는 것까지는 어떻게 하겠는데, 이를 말로 표현하는 것은 늘 과제로 남는다.

'말'과 감사 역시 서로 불가분의 관계다. '속엣말 백 마디'보다 '감사의 한 마디'가 더 감동을 준다.

감사는 내 마음의 표현임과 동시에 상대방에 대한 '칭찬'과 '인정', '격려'가 합쳐진 말이다. 흔히 '칭찬은 고래도 춤추게 한다'고 한다. 그런데 감사는 곧 이처럼 '칭찬 + 인정 + 격려' 인 셈이니, '감사는 하늘도 감동시킨다'는 말이 가능해 지는 것이다.

말은 훈련이다. [...] 혀와 뇌에 길을 내야 한다. 아이에게도 자동으로 '감사합니다'가 나올 수 있도록 가정에서 교육해야 한다. 이것이 아이가 잘 되는 비결이다.

감사를 입에 달고 다니라. 반드시 감사의 열매가 땅에서 맺어지고 하늘에서 뚝 떨어질 것이다.[10]

무뚝뚝한 사람일수록 '감사합니다'라는 말을 하기 쉽지 않을 것이다. 그러나 한 번 해보면 놀라운 변화를 체험하게 될 것이다.

이 말을 하는 순간 그동안 사용하지 않았던 안면 근육이 움직일 것이고, 그 말을 들은 이의 얼굴을 보면서 변해가는 나 자신을 발견하게 될 것이다. 물론 진정성이 바탕이 됨은 잊지 말아야 할 것이다.

'감사합니다'라는 말은 기분을 좋게 하는 말이고, 다른 사람과 나를 살아있게 만드는 생명의 언어다. 그럼 이제 한 번 표현해 보자.

내 입에 감사가!

감사의 효과는 놀랍다! '감사합니다'라는 말을 사용하면서 기분이 불쾌하거나 기운이 빠지는 일은 없다. 없던 힘도 솟아나기 때문이다. 감사는 또 서로에게 힘이 되어 주는 말이기도 하다.

그러나 감사의 효과를 극대화하기 위해서는 감사의 마음을 갖고 표현하는 것이 우리 몸에 배어 있어야 한다. 이것은 긍정적 생각을 습관화하는 것과 비슷하다. 한 번 감사하다는 것으로 그칠 것이 아니라 -물론 안 하는 것보단 낫겠지만- 이것이 온전히 나와 일치될 때까진 습관화할 필요가 있다.

이런 감사와 습관의 관계를 차 신부는 다음과 같이 설명하고 있다.

'습관'과 감사의 관계는 또 어떠한가. 감사를 습관화하면 감사를 하기 위해 일부러 애쓸 필요가 없어진다. 저절로 나오기 때문이다.

습관이라는 그릇을 만들어 놓으면 내용은 채워지게 되어 있다. 그러니 감사를 입에, 몸에 배게 하자. 그러면 좋은 일이 생긴다.

고개가 부드러운 사람이 되게 하라!

허리가 유연한 사람이 되게 하라!
손이 개방된 사람이 되게 하라!
감사의 미소를 지으라!

이런 감사가 습관화 되면 감사문화가 된다. 그렇다면 감사문화가 가정으로, 회사로, 사회로 퍼지면, 어떤 일이 일어날까? 한마디로 앞에서 언급된 감사의 선순환이 집단적으로, 민족적으로 이루어 질 것이다.[11]

차 신부는 감사 습관에 대한 지나친 의식보다 '그릇 만들기'를 우선으로 제시했다. 그 그릇이란 감사를 입에, 몸에 배게 하는 것. 그러다보면 나도 모르게 감사란 단어가 술술 나오게 되고, 내 삶도 감사의 삶으로 채워지게 된다는 것이다.

또 감사가 몸에 밴 사람들을 우리는 관찰하고 모방할 필요가 있다. 그는 감사를 어떻게 표현하는지!

자신이 없으면 그의 모습을 그냥 따라해 보자. 그러면 우리도 어느덧 누군가의 모델이 돼 있을 테니.

포기를 밀어내기

절망적인 상황에서도 감사할 수 있을까?

차 신부는 '희망'이란 단어를 히브리어로 설명하면서, '밧줄', '우기기' 등의 의미로 표현했다. 그것은 '끝까지 붙잡는 것'으로 이해될 수 있다.

희망이 절망 속에서도 끝까지 잡는 행위를 일컫는다면, 희망을 말하는 사람은 그 순간에도 감사를 말할 수 있을까?

'포기하지 않기'와 감사의 관계는 극적이다.

상식적으로 절망의 상황에서 감사하기는 거의 불가능하다. 설령 감사한다 해도 미친 짓처럼 보일 수 있다. 하지만 이런 때 '포기하지' 않고 감사하는 것이 진짜 감사다.

감사는 희망의 언어다. 감사는 역경으로부터 인생의 출구다.

그러기에 내 입에서 '감사합니다'라는 말이 가장 빈번하게 나올 때는 일이 잘 풀릴 때가 아니다. 가장 힘든 시기를 지나고 있을 때다.

나는 매순간 주어진 모든 것에 감사하며 생활한다. 그런 감사생활 덕에 인복, 일복, 사랑복을 넘어 천복이 쏟아진다.

감사를 일상화 하면 예기치 않은 도움이 나타난다. 그저 감사하면 호

박이 넝쿨째 굴러 들어온다.[12]

감사를 말하는 사람은 포기란 단어를 모른다. 이미 그 몸에 감사를 통해 긍정과 인내 그리고 미래를 향한 꿈의 에너지가 배어있기 때문이다.

차 신부는 감사를 '희망의 언어'라 표현했다. 감사를 통해 희망과 꿈을 갖게 되고, 그것은 위기의 순간에 포기보다는 인내와 극복으로 나아가게 만들기 때문이다.

우리는 이런 감사를 통해 하나의 결론을 생각해 볼 수 있다.

차 신부의 '무지개 원리'가 '희망과 꿈'을 말하고 있는 것이라면, 무지개 원리의 발견은 감사를 통해서 분명히 나타나게 될 것이다. 왜냐하면 무지개 원리의 모든 요소들이 감사로 종결되기 때문이다.

그렇다면 무지개는 먼 곳에서 발견되는 것이 아닐 것이다.

포기할 줄 모르는 감사. 이것이 무지개를 발견할 열쇠다.

제 7 장

행복의 숨결

행복 인터뷰

행복이란 무엇일까? 어쩌면 행복을 설명하려고 애쓰기보다, 내가 지금 행복한지 묻는 편이 답을 찾는 데 수월할지 모른다. 왜냐하면 행복은 머릿속에서 설명되는 것이 아니기 때문이다. 실제로 느끼는 것, 그것이 행복의 실체에 가깝다.

평생 희망과 행복을 강조해 온 차 신부는 얼마나 행복을 느끼며 살아왔을까? 진짜 행복했을까? 기자들도 궁금해서 그 답을 묻는다.

기자들은 단도직입적으로 "행복이 뭐냐"고 묻는다. 그들은 이렇게도 묻는다.

"신부님은 어떠신지요? 진짜 행복하세요? 책 보니까 고생도 많이 하셨던데 혹시 자신이 불행하기 때문에 행복하고 싶어서 그러는 거 아니세요?"

나의 답은 한결같다.

"나는 행복합니다. 지금도 행복합니다. 스스로 행복하다고 말하지도 못하면서 '행복'에 대해 말하고 다닌다면, 그게 바로 사기꾼이지 않겠어요?"

"정말 힘들 때가 있을 텐데요. 그럴 때도 행복하신가요?"

"그럼요! 나는 그럴 때를 대비하여 이미 마음에 생각의 장치를 설치해 놨습니다. '나는 행복할 의무가 있다. 왜냐? 그만큼 행복론을 강의하고 다녔으니까. 고로 행복은 내 의무이며 책임이다.'라고 말입니다."

흔히 사람들은 '의무'라는 말을 부정적으로 받아들인다. 나는 이 의무라는 말을, 말하자면 뒤엎어서 쓰기 좋아한다. 예를 들어 나는 이런 말을 잘 쓴다.

"나는 잘 될 의무가 있다."

"나는 행복할 의무가 있다."

여기서의 '의무'는 우리가 부담을 느끼는, 혹은 강박을 느끼는 부정적인 뉘앙스의 단어가 아니라 '반드시 그렇게 돼 있다'의 역설적인 표현이다. 마치 영어에서 '~임에 틀림없다'와 같은 강한 짐작을 뜻하는 '머스트 비'(must be)와 비슷하다고나 할까.

그러기에 여기서의 의무는 항상 나의 확신이자 신념이며 기대다.

기자들의 질문은 끈질기다. 이쯤에서 멈춰주질 않는다.

"그렇게 마음먹는다고 뜻대로 되나요? 그게 과연 가능한가요?"

"가능합니다. 그냥, 이유 없이, 무조건 행복하기로 선언하고 그대로 이행하면 됩니다. 오늘 하루 웃으면 되고, 수없이 부딪히는 선택의 순간에 '만족'을 선택하면 되는 것입니다…."[1]

차 신부는 집요하게 묻는 기자들의 질문에 현명하게 답하면서, 행복의 정의보다는 본인이 느끼는 행복과 그것으로 나아가는 비법을 알려

주고 있다. 이성적으로 생각하면 행복을 강의한다고 항상 행복하지 않을 수도 있고, 그것을 누군가 강요하지도 않을 것이다.

그러나 차 신부에게는 책임감이 있었다. 자신이 말하는 것이 진실한지는 누구보다 그를 보는 사람들이 알 테니 최선을 다해 행복해지려 노력한 것이다.

특이한 것은 '행복할 의무'라는 표현이다. 부정적으로 쓰일 것 같은 그 표현이 자신에게 최면을 걸 듯 '행복할 것'이라는 확신으로 그를 나아가게 만든다. 그는 이렇게 행복을 확신했고 기대했다. 이런 방법을 누구나 사용하고 싶어 하지만, 뜻대로 잘 되지 않을 것이다. 그래서 그는 오늘 하루를 웃고, 자신이 선택한 순간들 속에서 만족하는 것을 비법으로 제시한다.

자기 삶에 최선을 다하는 사람에게서 보이는 행복감을 차 신부의 모습 속에서 떠올리게 된다.

온유의 행복

걱정과 불안이 엄습해올 때 우리는 어떠한가?

심장이 벌렁거리고 온 몸과 마음이 고통에 시달리게 된다. 고통이 심해지면 우리는 스스로가 행복하지 않다고 느낄 수도 있다. 도대체 이런 고통이 언제쯤 끝날 것인가! 쉽게 풀리지 않는 숙제 같다.

차 신부는 이런 불행, 고통 속에서 자신을 되돌아보고 그가 체험 속에서 선택한 해결방법을 제시한다. 여기 소개되는 '아버지'는 하느님, 주님을 의미한다.

사람들이 평안하지 못한 이유는 무엇인가? 내 뜻대로 살기 때문이다. 사업을 한다고 치자. '내 뜻'에 집착하는 사람은 스케줄이 안 맞고 계획대로 일이 안 되면 잠도 안 오고 성질도 나기 다반사다. 이는 자기 뜻만 고집하는 사람들이 겪는 현상이다. 하지만 그럴 때 '내 뜻' 대신에 '멍에' 곧 '아버지의 뜻'을 지고 살면 삶의 차원이 확 달라진다.

이런 까닭에 나는 온유의 행복을 최상의 행복으로 꼽는다.

내가 내 뜻만을 내세우며 스스로 짐을 지고 살아가자면 아등바등 너무 힘들다. 마음가짐이 안절부절못하고 조바심이 나고 잠이 안 온다. 결과에 대해서 불안한 것이다. "잘 되어야 되는데, 잘 되어야 되는데" 하고 말이다.

한편 아버지가 지워주는 멍에를 메고 살면 마음이 편하다. 말아 잡숴도 좋고 삶아 잡숴도 좋고 망해도 좋고 흥해도 좋고……. 아버지가 지워주신 것이니까 아버지가 결과를 책임지지 않겠는가. 아버지에 대한 신뢰가 있으니까 망해도 좋은 일이 일어나는 거고 흥해도 좋은 일이 일어나는 것이라는 생각에 마음이 안정되는 것이다.

그러기에 자신의 어깨에 올라가 있는 것이 짐이 아니라 멍에로 전환되는 순간 위대한 반전이 일어난다. 짐은 사라지고 순식간에 평화가 임하는 것이다.

이를 진즉부터 묵상해왔던 나는 '온유기도'를 잘 바친다. 잠이 안 오고, 걱정이 태산일 때, 나는 이렇게 온유의 기도를 바친다. "에이 난 몰라요! 저 그냥 잘래요. 주님이 다 알아서 하세요!" 그러면 마음이 그렇게 편해질 수가 없다.[2]

수많은 일들과 바쁜 일상 속에서 차 신부도 얼마나 고충이 많았을까. 때로는 잠 못 이루는 밤들도 많았을 것이다. 고민되고 불안해도 지금 당장 해결할 수 없는 것을 붙들고 씨움하는 것은 그리 좋은 일이 아니다.

차 신부는 이런 고통 속에서 '온유한 마음'이 가져다주는 행복이 얼마나 큰지를 체험하게 된 것이다.

그러나 이런 마음을 느끼기 위해서는 조건이 있다. 자신을 내려놓아야 한다. 모든 것을 버리라는 것이 아니라, 자신의 근심 걱정을 자기 뜻대로 해결하려는 마음을 내려놓는 것을 말한다.

충실한 신앙인이었던 차 신부는 모든 근심 걱정을 하느님께 맡기는 선택을 한다. 그가 하는 모든 일이 주님께서 원하시는 일이고, 주님께서 이끌어주지 않으면 이루어질 수 없는 것들이니, 그분께 맡겨드리는 것을 택한 것이다.

결론적으로 현명한 선택이었다. 왜냐? 그것으로 편안히 잠들 수도 있었고 일을 시작할 때, 더욱 집중함으로써 좋은 결과를 얻었기 때문이다.

때로 너무 많은 생각이 밀려올 때는 그것이 어디에서 출발했는지 되짚어 볼 필요가 있다. 만약 행복하지 못한 원인이 자신의 마음속에 있는 욕심과 고집 때문이라면 조금 내려놓는 것은 어떨까. 그럴 때 메마른 마음에 감도는 '온유의 기운'을 느낄 수 있을 것이다.

남모르는 기쁨

차 신부는 어떤 기쁨으로 살았을까?

생전의 그를 떠올리면, 늘 자신감 넘치고 행복한 얼굴이 기억난다.

무엇이 그를 기쁘게 했을까?

내 삶의 외적 조건을 아는 이들은 장난삼아 묻는다.

"신부님은 무슨 재미로 사세요?"

"네에?"

"아, 장가도 안 가셨죠, 술담배도 못 하시죠, 골프도 못 치시죠, 음식도 가려가며 드셔야 하죠, 재밌는 건 다 열외시잖아요."

"그건 그렇죠. 그러고 보니 내가 참 불쌍한 놈이네요."

묻는 이의 의도를 알기에 맞장구 쳐줄 요량으로 대충 이렇게 봉합을 하지만, 반전의 마무리를 생략한 적은 한 번도 없다.

"그래도 남모르는 재미가 쏠쏠하답니다. 글 쓰는 재미에 빠지면 시간 가는 줄 모르구요, 강의할 때 몰입하다 보면 엔도르핀이 솟구요, 삶의 여정에서 지쳐 쓰러진 사람들 손잡아 일으켜 줄 때는 사람 노릇 제대로 하는 것 같은 보람도 느끼구요.... 어찌 되었든 행복은 만들어지는 거니까요."

정말이다. 남들 눈엔 따분할 것만 같은 일상도 내게 만족과 기쁨을 준다면 그게 사는 재미 아닐까.[3]

차 신부는 오랫동안 건강 문제로 아무 음식이나 먹을 수도 없었고, 세속적인 즐거움을 누릴 여유도 없어 보였다. 그러나 그 속에서 '희망'을, '행복'을 외쳤다는 것은 다 그만의 비밀이 존재했다는 것 아닌가.

차 신부는 독서와 글쓰기를 좋아했다. 마음껏 생각의 나래를 펼치면서 좋은 것들을 사람들과 나누고 싶어 했다. 사람들 앞에서 강연할 때도 그는 자신의 생각이 살아 숨 쉼을 체험하게 됐을 것이고, 그것이 사람들에게 힘을 주는 것에 큰 보람을 느꼈을 것이다.

특히, 사제로 살면서 수많은 어려움에 처한 사람들과 함께 하며, 그들의 고통과 연대하고 그들이 희망을 발견하도록 돕는 일을 누구보다 큰 가치로 여겼다. 그렇게 그는 그가 추구하는 사명에서 많은 행복을 발견한 사람이었다.

행복을 선택하는 법

인간에게 행복이란 어떤 의미인가? 불행을 위해 사는 사람은 아마 없을 것이다. 누구나 행복한 삶을 원하고 소망할 것이다.

차 신부는 행복에 대해 다음과 같이 말하고 있다.

행복은 인간 존재 이유의 영순위다.

성공하기 위해 사는 것이 아니라
행복하기 위해 사는 것이다.[4]

인생에서 행복은 매우 중요하다. 살아가면서 행복하다고 느낄 때 얼마나 살맛나겠는가! 그러나 이렇게 중요한 행복을 자주 느끼면 좋겠지만, 현실은 그렇게 녹록지만은 않다. 그것은 행복을 시샘하는 불행이라는 존재가 우리 삶을 자주 가로막기 때문이다.

행복과 불행에 대한 생각과 선택을 이미 앞에서 차 신부의 '위기관리 매뉴얼'을 통해 소개한 바 있다. 차 신부는 불행이 우리 삶을 혼란스럽고 힘들게 할 때, 어떻게 해야 하는지 다음과 같은 해법을 제시하고 있다.

한번 짚어보자. 가장 중요한 것이 무엇인가. 그것은 내 마음의 행복과 평화다. 이것을 깨뜨리는 그 모든 것을 우리는 어떠한 경우에도 막아낼 줄 알아야 한다. 그래서 나의 행복론 하나가 성립한다.

"그 무엇도 내 허락 없이는 나를 불행하게 만들 수 없다."

흔히 우리는 "나는 이것 때문에 불행하고, 저 사람 때문에 불행하다"는 식의 불행 리스트를 작성해 놓고 살아간다. 하지만 그것은 자신의 판단일 뿐 결코 객관적인 근거가 되지 못한다. 자신이 '불행'이라고 여기는 것을 다른 사람은 '행운'이라고 여기는 경우가 허다한 것이다. 그러기에 나는 저런 속단의 유혹이 밀려올 때 스스로에게 말해 준다.

"그 무엇도 내 허락 없이는 나를 불행하게 만들 수 없다."

각자의 마음속에 이 말을 새겨 둔다면, 결코 인생에서 좌절이나 포기는 없다. 결국 행복과 불행은 객관적인 잣대가 아니라 주관적인 잣대에 있는 것이기 때문이다. 똑같은 것을 놓고 어떤 사람은 그것을 '불행'으로 치부할 수 있다. 하지만 그것이 어떤 사람에게는 '행복'의 이유가 될 수도 있는 것이다. 그러므로 우리는 어떤 경우에도 그것을 '불행'으로 여기지 말아야 한다. 모든 것은 내 허락 여하에 달려있다.

이것이 생각의 힘이다. 우리가 느끼는 모든 감정 이면에는 생각이 자리 잡고 있다. 따라서 생각을 긍정적으로 다스리면 감정은 그에 따라갈 수밖에 없다.[5]

불행을 대하는 차 신부의 자세를 통해 행복을 움켜쥐는 방법을 발견하게 된다. 이런 자세에서 중요한 것은 '생각의 힘'이다. 자신이 생각하고 판단하는 것에 따라 불행을 슬기롭게 대처할 수 있다는 것이다.

인생에서 고통을 피해갈 수는 없다. 그러나 불행을 선택하는 것은 온전히 본인의 몫이다. 어쩔 수 없이 불행이 닥치는 순간에도 희망을 선택하는 삶은 더 이상 우리를 불행의 삶에 머무르지 않게 한다. 그것을 꿈꾸는 사람은 그 불행을 희망으로 변화시킬 수 있다.

행복의 비결

많은 사람들은 성공을 꿈꾼다. 그리고 그 성공을 위해 힘차게 노력한다. 여기서 우리는 한 가지 질문을 할 필요가 있다.

'성공하면 행복할까? 아니면 행복한 것이 성공일까?'

성공을 위해 뒤도 돌아보지 않고 질주한 삶이라면 한 번 물어볼 만한 질문이라 생각한다.

차 신부는 행복의 비결로 '발상의 전환'을 제시한다.

우리에게는 성공보다 행복에 더 우선순위를 두는 발상의 전환이 필요합니다.

흔히 "성공하면 행복할 것이다"라는 가설을 세워놓고 삽니다. 하지만 성공한다고 해서 행복해질 거라는 보장은 없습니다. 그러므로 이제 "행복하면 성공할 것이다"로 발상을 바꿔보는 것입니다. 실제로 통계조사에 의하면 행복한 사람이 성공할 확률은 매우 높은 것으로 나타났습니다. 그러니 행복을 먼저 선택하는 지혜를 가진 자는 두 마리 토끼를 다 잡는 셈입니다.

나는 행복의 비결이 영어 단어 'Happiness'에 함축되어 있다고 역설하고 다닙니다. 행복을 뜻하는 이 단어의 어원은 '발생한다'는 뜻을 지닌 'Happen'입니다. 이는 "행복은 발생하는 것이지 쟁취하는 것이 아니다"라는 사실을 시사합니다. 행복은 쟁취나 획득되는 것이 아니라, 발생되고 창조되는 것입니다. 획득은 어려워도 발생은 쉽습니다. 그냥 웃고, 그냥 행복한 척하는 것입니다. 그러면 행복의 감정이 발생합니다. 우리의 뇌에서는 거짓으로 행복한 척해도 실제 행복할 때와 같이 도파민, 엔도르핀 등의 행복호르몬이 분비된다고 합니다.[6]

우리는 여기서 꼭 성공했을 때만 행복을 얻을 수 있다는 강박관념에서 벗어나 조금은 해방감을 느낄 수 있다. 그러나 '나는 나를 행복하게 두고 있나. 행복을 느끼게 해 주고 있나'를 먼저 고민할 필요가 있다.

행복이라는 것은 꼭 쟁취해야 하는 것이 아니다. 나는 나를 행복에 두려고 노력했나. 많은 것을 이루었고 남들이 갖지 못한 많은 것을 소유하고 있다고 나는 행복한가.

누구나 큰 성공을 거둘 수는 없지만, 작고 큰 행복을 꿈꾸고 느끼는 것은 누구나 도전할 만한 일이지 않을까. 거기엔 내가 행복을 어떻게 생각하고 느끼느냐가 중요하게 작용할 것이다.

행복한 사람

어떤 사람이 행복한 사람일까?

행복을 느끼고 잡고 싶은 사람에게 차 신부는 다음과 같이 설명한다.

행복한 사람은 '미래'를 위해 살지 않는다. '지금'이 바로 행복의 순간이다. '여기'가 바로 행복의 장소다. '지금 여기'(here and now)는 우리의 일상생활을 의미한다. 매일매일 경험하는 평범한 것, 일상적인 것들이 행복의 계기다. 걸레질을 하는 그 순간, 설거지를 하는 그 순간, 빨래를 하는 그 순간이 당신을 위한 행복의 순간이다. 그것을 지겹게 생각하고 대충 끝내고 다른 즐거움을 좇겠다고 하면 그 즐거움은 파랑새처럼 영원히 붙잡을 수 없다.

잊지 말자. 당신의 '오늘'은 당신이 살아온 과거의 총결산이며 당신이 맞이할 미래의 담보다. 당신이 오늘 하루를 어떻게 사느냐가 당신의 과거와 미래를 죽일 수도 있고 살릴 수도 있다.[7]

일상 속의 행복 그리고 그것이 지금 여기서 이뤄지고 있음을 느끼는 사람이 행복한 사람이라고 차 신부는 말한다. 행복을 미래로 국한시키면, 도대체 언제 행복할 것인가!

지금 여기에서 매일 마주하고 있는 것들 속에 감춰진 행복을 우리는 발견해야 한다. 가끔은 너무 소소해서, 우리 눈에 잘 보이지 않을 수도 있다. 그래서 생각을 하고 느끼고 음미하는 시간도 필요한 것이다.

행복을 느껴본 사람은 계속해서 그 느낌을 찾으려 노력할 것이다. 그래서 그는 지금의 행복이 미래에 자신에게 가져다 줄 행복임을 확신할 수 있다.

행복을 위한 역발상

행복하지 않다면, 행복보다 불행을 더 많이 생각하는 편이라면 어떻게 노력해야 할까?

자신의 처지가 좋지 않을 때, 행복보다는 불행으로, 낙관보다는 비관으로 흘러갈 가능성이 많다.

그러나 차 신부는 이럴 때야말로 '역발상'이 필요한 때라고 말하고 있다.

잡지를 판매하는 노숙인들의 가슴에는 조합번호와 함께 이런 문구가 적혀 있다고 합니다.

"나는 지금 구걸을 하는 것이 아니라 일을 하고 있습니다."

이 코스는 보란 듯이 성공하였습니다. 인식의 틀을 전환하니 전혀 희망이 보이지 않던 이들에게 새로운 삶의 활기가 샘솟은 것입니다. [...]

이 대범한 역발상이 이제 우리 모두에게 필요합니다. 돈보다 의미 있는 삶을 추구하고, 부자가 되는 것보다 보람 있는 삶을 더 꿈꾸면, 일시적인 경기 침체 때문에 그토록 스트레스를 받거나 우울증에 시달리지 않아도 되는 것입니다.

내 자신의 경험에서 배우거나, 내로라하는 현자들에게 지혜를 청하거나, 오늘날도 존재의 향기를 풍기는 실존 인물들에게 비결을 물어 내가 도달한 잠정 깨달음은 이것입니다.

무슨 일을 하든지 그 자체를 즐기라.
배를 곯을지언정 의미 없는 일은 하지 마라.
돈만을 위하여 일하는 사람은 영혼을 잃기 쉽다.
명예를 구하여 일하는 사람은 기쁨을 잃기 쉽다.
권세를 탐하여 일하는 사람은 친구를 잃기 쉽다.
자기가 사랑하는 일을 하고, 일을 위하여 일하라.
그러면 나머지 것들은 저절로 따라올 것이다.

이는 처세술이 아니라 삶의 원리를 제시하는 경구입니다. 처세술은 일시적으로 통하지만 원리는 영원히 통합니다. 그러므로 즉효를 보지 못하더라도 우직하게 실행해봄이 현명한 선택일 것입니다.[8]

차 신부는 지금의 삶이 불행으로 치닫고 있을지라도 이에 대한 생각의 전환이 필요하다고 강조한다. 왜 그럴까? 불행한 상황 속에도 역발상을 통해, 삶의 '의미'를 발견할 수 있기 때문이다. 이러한 삶의 의미는 그것을 찾은 사람에게 삶을 살아가게 하는 폭발적인 에너지를 선물로 준다.

차 신부는 인생의 고수들에게서 '삶의 원리'를 배웠다. 일을 즐기고 삶의 의미를 발견하며, 자신의 영혼과 기쁨 그리고 친구를 소중히 여기는 삶이 행복으로 나아가는 삶임을 일깨워 주고 있다.

자신이 만들어낸 세속적인 가치관 속에서 진정한 삶의 의미와 그 가치들을 잃어가고 있지는 않은가. 그렇다면 뒤돌아보라. 다시금 천천히 주워 담으려 노력한다면 행복은 반드시 만나게 되어 있다.

목적 가치

차 신부는 교회 안팎에서 왕성한 활동을 했다. 그가 쓴 책들은 줄줄이 베스트셀러가 됐고, 국내외 강의 요청도 줄을 이었다. 그는 유명세를 탔고 많은 사람에게 존경도 받게 됐다.

그럼에도 불구하고 평생을 검소하게 살았고 남을 돕는 것을 기쁨으로 여겼던 차 신부는 과연 어떤 가치를 중요하게 여겼을까?

우리는 희망을 '존재'가 아닌 '소유'에 둔다. 그렇기 때문에 소유에 실패하면 절망하는 것이다. 그런데 과연 소유가 우리의 궁극적 희망이 될 수 있는가?

인간이 추구하는 가치에는 행복, 기쁨, 평화 등의 '목적 가치'와 이 목적 가치를 이루는 데 도움이 되는 부귀, 권세, 명예 등의 '수단 가치'가 있다. 우리가 궁극적으로 추구해야 하는 것은 목적 가치다. 수단 가치는 그 자체로는 의미가 없다.

은행에 저금한 100억 원은 그것이 좋은 용도에 사용되지 않으면 종잇장에 지나지 않는다. 수단 가치에 매여서 이미 누리고 있는 목적 가치를 과소평가한다면 그것은 불행이다. 이미 자신이 목적 가치를 이루

고 있다면 그 자체로 행복한 것이다.[9]

차 신부는 수단 가치를 기준으로 스스로를 불행하다 여기는 현실을 안타깝게 여겼을 것이다. 그에게 있어 중요한 가치는 '목적 가치', 곧 존재가 느끼고 누리는 행복과 기쁨, 평화였다. 이 가치를 삶에서 느낄 때 행복으로 나아가게 되고, 그 행복이 오래도록 지속됨을 그는 강조한다.

우리는 어떤 가치를 얻으려 노력하고 있나.

부자란?

누구나 부(富)와 성공에 대한 관심을 갖고 있고, 좋은 성과를 이루기 위해 노력하곤 한다. 우리 사회에서 부에 대한 관심과 그것의 합법적인 축적은 우리 삶을 윤택하게 만드는 길로 인식되기 때문이다.

그런데 성경은 이에 대해 근원적인 가르침을 주고 있다. 진정한 부의 의미는 무엇이며, 부자는 어떠해야 하는지에 대한 가르침이다. 차 신부도 복음을 통해 이 같은 생각을 신앙적 차원에서 설명하고 있다.

"부자가 하느님 나라에 들어가는 것보다 낙타가 바늘귀로 빠져나가는 것이 더 쉽다"(마르 10,25 참조).

이 비유는 바로 부자의 이런 딜레마를 풍자적으로, 그것도 과장법이라는 수사를 동원하여 표현해주고 있습니다.

한마디로 부자는 나눌 줄 알아야 한다는 메시지입니다. 그런데 우리는 '하늘 나라'의 본래 의미를 깨달아야 합니다. 예수님이 말한 하늘 나라는 죽어서 가는 천국을 의미하기도 했지만, 살아서 누리는 천국을 가리키기도 했습니다. 그리고 예수님은 살아서 천국을 누리지 못하는 사람은 결국 죽어서도 천국을 누리지 못한다는 깨우침을 기회 있을 때마다 주셨습니다.

그렇다면 살아서 누리는 천국은 어떤 천국일까요? 바로 행복과 평화의 극치, 사랑과 화목의 충만이었습니다. 예수님은 '탐욕'에 사로잡힌 자는 결코 이 천국의 주인공이 될 수 없다고 보셨습니다. 그래서 부자 운운했던 것이지요.

성경에서는 부자의 행위를 통해 하늘 나라에 들어갈 수 있는 조건을 일깨워주고 있다. 차 신부가 지적했듯, 그 조건이 성립되기 위해서는 탐욕을 주의하고 나눠야 한다. 실제로 세계의 많은 부자들이 이를 몸소 실천하고 있다.

요즈음, 미국의 부호들이 연이어 10퍼센트 사회기부를 선언하고 나섰습니다. 빌 게이츠, 워런 버핏이 대표적이지요. 한때 우리나라도 노블레스 오블리주라는 말이 유행한 적이 있는데 이미 시들해지고 말았지요. 그렇지만 이제 대한민국 부자들의 차례입니다.

황상민 교수의 용어를 빌려 말하자면 부자 중의 부자는 '존경받는 부자'일 것입니다. 이런 부자에게는 '악인'의 꼬리표가 따라다니기는커녕 오히려 '선인'의 훈장이 자랑스럽게 빛날 것입니다.

그러면서 차 신부는 진정한 부의 의미를 다시금 일깨워 주고 있다.

요컨대, 부는 악이 아닙니다. 선을 행할 기회입니다. 나쁜 것은 그 기회를 의도적으로 외면하거나 거부하는 것입니다.[10]

부는 오히려 많은 선을 행할 수 있는 기회를 제공한다. 문제는 그것을 바라보고 행하는 인식에 달려 있다. 차 신부는 한 걸음 더 나아가 진정한 이타적 행위에 대한 진정한 의미를 되새긴다.

남을 돕는 것은 타인의 희망을 증진할 뿐 아니라, 궁극적으로 자신의 행복으로 되돌아온다. 우리 각자는 사랑 릴레이의 한 고리다. 이 고리가 다른 고리와 연결될 때, 나를 통하여 무한한 축복이 흐른다. 외따로 고립되면 그 좋은 것이 갇히고 닫힌다.[11]

부의 고립이 인간의 탐욕을 이끈다면, 부의 나눔은 사랑을 꽃피게 할 수 있다. 그 사랑은 타인에게만 향하는 것이 아니라, 결국 자신 안의 진정한 행복을 극대화시킨다. 차 신부는 우리에게 묻는다.

"무엇을 위해 그렇게 모으는가?"

부자의 품격

차 신부에게 진정한 부자의 모습을 가르쳐준 사람이 있다. 그는 차 신부가 어려웠던 가정환경 속에서 접하게 된 인물이었다.

나에게 나눔 철학을 느낌이 있게 가르쳐준 스승은 고 유일한 박사다. 나는 중학교를 졸업하고 고등학교에 진학해야 할 무렵, 어려운 가정 형편으로 장학금을 주는 학교를 물색했다. 그 때 담임선생님의 추천으로 '전액장학금을 준다'는 유한공고를 알게 되어 망설임 없이 지원했다. 지금은 사정상 그 제도가 없어졌다고 하지만, 그랬기에 당시 유한공고는 전국 가난한 인재들의 집결지였다.

3년 동안 학교를 다니면서 교장 선생님 훈시 그리고 이따금 담임선생님의 훈화 시간에 유일한 박사의 숭고한 나눔 정신에 대하여 들었다. 유한공고는 유한양행을 창립한 유일한 박사가 사재를 털어 설립한 학교였기 때문이다. [...] 그의 삶이 워낙 감동적이었기에 그에 관한 스토리텔링은 말하는 이도 듣는 이도 유쾌하기만 한 일이었다. [...]

나는 내가 고등학교 공부를 공짜로 하게 된 것이 한 돈 많은 사람의 희사가 아니라 전인적인 희생 덕이었음을 확인하고, 졸업한 지 40년이

되어가는 이즈음에 그것을 평생 갚을 수 없는 빚이라 깨닫는다. [...]
사랑은 사랑을 낳는다. 나눔 또한 나눔을 낳는다. 사랑의 자식이요 나눔의 소생인 나는 죽기까지 빚쟁이일 따름이다. 살맛나는 빚쟁이, 갚아도 면해지지 않는 빚쟁이, 그래도 신나는 빚쟁이다.[12]

유한양행과 학교재단 유한재단을 설립한 고 유일한 박사(1895-1971)는 차 신부에게 나눔의 스승이었다. 많은 부를 가졌음에도 그 부를 어려운 사람에게 나누어 주고 사회에 다시 환원함으로써 존경할만한 부자의 품격을 보여주었다.

그리고 유일한 박사를 통해 얻은 나눔과 사랑의 정신은 차 신부의 삶에도 고스란히 전달되었다. 그리고 그는 자신을 '신나는 빚쟁이'로 표현하면서, 나눔을 통한 사랑의 빚이 사람을 행복하게 만드는 것임을 깨닫게 된다. 그래서 그는 평생 그 빚을 갚으며 살아가게 된 것이다.

의미창출 연구소

차 신부는 삶에 지쳐 힘겨워 하는 사람을 어떻게 대했을까? 다음은 그가 본당에 있을 때, 경제적으로 어려움에 처한 사람을 만났던 이야기이다.

나는 IMF 때 아주 조그만 본당을 맡고 있었다. 이때 재미있는 분을 만났다. 어떤 분이 오셔서 냉담을 선언하고 가시는 것이다.

"죄송합니다만, 제가 지금까지는 교무금*도 낼 만했는데, 집안이 망했어요. 그래서 제가 다시 교무금 낼 수 있을 때, 그때 다시 나올게요."

이분은 과연 잘한 것인가, 잘못한 것인가? 당연히 잘못한 것이다. 주님은 우리가 어려울 때 착취를 하는 분이 아니다. 빚을 졌는데, 빚 갚으라고 하시지 돈을 내라고 하시겠는가? 만약 빚졌는데도 돈 내라고 하면 그 사람은 도둑놈이지 뭐겠는가? [...] 빚을 졌을 때는 '수입이 수입이 아닌 것'이다. [...]

---

*교회 유지를 위해 신자들이 의무적으로 교회에 내는 봉헌금

사실 주님은 수입이 없을 때는 그냥 다니기를 원하신다. 수입이 있는 사람이 내는 것이다.

평소 이 같은 소신과 생각을 갖고 있었던 차 신부는 미래사목연구소를 운영할 때도 이 법칙을 철저히 적용했다.

나는 조그만 연구소를 운영하면서도 이 법칙을 지킨다. "내 것을 먼저 챙기지 말고 주님 것을 먼저 챙겨라. 누군가 도움을 원하면 내가 있든지 없든지 도와줘라. 선교에 필요하다고 그러면 그냥 보내 줘라." 나의 운영방침이다. 그래서 우리 연구소가 잘되는 것이다. 그 비밀을 이제 공개한다. 왼손 하는 일을 오른손 모르게 하라 했듯이, 나름대로 많이 돕는다. 하여간 독자 분들도 이렇게 믿어서, 집안도 일으키고 교회도 일으키는 기적이 일어나길 바란다.[13]

연구소 운영에 경제적인 어려움이 있다 하더라도 선교 지원에 대한 그의 원칙은 변함이 없었다. 왜 그럴까? 하느님께 맡겨진 연구소이기에 주님께서 원하시는 원칙으로 살아가는 것이 옳다고 보았기 때문이다. 연말 결산을 하며 연구소 가족들에게 했던 말을 통해 차 신부의 이런 생각을 읽을 수 있다.

"우리같이 비영리단체에서 일하는 사람들은 연말결산을 세상 사람들의 기준으로 하지 말아야 합니다. 돈으로 손익결산을 하는 것은 우리에게는 아무 의미가 없습니다. 우리는 그 과정에서 얼마나 많은 의미가 창출되었는지를 헤아려야 합니다. 우리로 인해 누가 희망을 가졌는지, 어떤 사람이 우리에게서 행복을 배웠고 위로를 얻었는지, 우리로 인해 어떤 사랑이 소통되었는지, 이런 것들을 세어보아야 하는 것입니다…."[14]

차 신부는 주변의 어려운 사정을, 특히 선교지에서의 힘겨운 사정을 들었을 때 망설임 없이 도와주곤 했다. ㈔미션3000과 미래사목연구소를 운영하면서 이러한 정신은 흐트러짐 없이 발휘되었다. 그가 언제나 중요하게 생각하고 추구했던 가치는 '의미를 얼마나 창출했냐'는 것이었다.

복음적 가치를 위해 차 신부와 그의 연구소는 선교지와 각 사목지에 신바람 영성을 불러일으키려 노력했고 복음의 기쁨을 전했으며, 이 사회에 희망이 주는 의미를 전파하려 노력했다.

차 신부는 이런 노력 속에서 복음의 진정한 의미를 발견했을 것이다. 그것은 바로 어려운 사람들과 함께 나누며, 희망을 갖고 함께 기뻐하는 것 속에 '진정한 행복'이 있다는 것이다. 그는 그 가치를 결코 놓치지 않았다. 아니 단 한순간도 그의 가슴 속에서 뛰지 않은 적이 없었을 것이다.

최고의 명약

우리는 힘들 때 형제와 이웃에게 도움을 받고, 그들에게 도움을 주기도 한다. 그러면서 그 속에서 진정한 사랑을 느끼고 서로의 존재에 대한 고마움을 체험하게 된다.

차 신부는 그가 체험한 형제에 대한 고마움을 다음과 같이 표현한다.

사람이 희망이다.
'나'는 '너'를 지향하기 때문이다.
내가 힘들 땐, 내게 위로가 될 너를 찾는다.
내가 여유로울 땐, 격려가 필요한 너를 향한다.
같이 고달플 땐, 서로가 서로를 지향하며 의기투합한다.

아무리 절망스러워도 우리가 살아갈 힘을 내는 것은 서로 도움을 주고받을 사람이 있기 때문이다.

차 신부의 말 속에서 우리는 서로가 서로에게 힘과 위로가 되는 존재임을 새삼 깨닫게 된다.

'존재만으로 위로를 받을 수 있음이 얼마나 행복한 일인가!'

어려움을 처한 형제에게 해줄 수 있는 가장 큰 것은 무엇일까?

차 신부는 어느 TV 방송 출현의 체험을 통해 그것을 일깨워주고 있다.

정동 프란치스코 회관에서 열린 학술 세미나에서의 강연

모 TV방송 〈지식나눔콘서트 아이러브인〉에 출연했을 때의 일이다. 강의가 끝나고 방청객들이 손을 들어 나에게 질문을 하는 코너였다. 한 젊은이가 내게 돌발 질문을 던졌다.

"신부님, 저는 저보다 어린 친구들의 멘토 역할을 해 주고 있어요. 그런데 제가 아는 한 친구가 말하길, 자기는 미래의 꿈도 목표도 전혀 갖고 있질 않다는 거예요. 그런 아이한테는 무슨 말을 해 줘야 꿈을 갖게 할 수 있을까요?"

내가 그 친구에게 해 준 도움말은 이랬다.

"꿈이 없다는 것은, 자신의 존재가 흔들리고 있는 상태라는 뜻입니다. 그 아이가 존재의 내공을 갖고, 생의 의욕을 갖게 하려면, '사랑'밖에는 답이 없습니다. 그 아이에게 진심 어린 사랑을 베풀어주세요. 그렇게 그 아이가 자신이 사랑받는 존재라는 것을 깨달을 때, 생의 의욕이 절로 살아나겠죠. 그렇게 되면 저절로 꿈도, 희망도, 목표도 생기기 마련입니다."[15]

꿈도, 희망도, 목표도 없다는 어떤 친구의 이야기가 혹시 나와 우리의 이야기는 아닐까. 우리에겐 그런 어려움은 없는지, 또 그런 형제나 이웃은 없는지 살펴보아야 할 것이다.

그런 형제를 만났을 때, 우리가 줄 수 있는 최고의 도움은 바로 '사랑'이다. 차 신부는 희망을 말했지만, 도저히 희망을 가질 수 없는 사람에게 해줄 수 있는 방법은 결국 사랑임을 전하고 있다.

사랑은 희망에 다시금 숨을 불어 넣을 최고의 명약이기 때문이다. 사랑으로 희망을 얻은 사람은 희망 속에서 사랑을 가슴에 품고 산다. 그는 그 속에서 감사를 느끼고 새롭게 꿈과 희망을 발견하게 될 것이다.

꿈과 희망을 잃어버린 친구가 있다면, 많은 말 대신 먼저 손을 내밀라.

그리고 그가 사랑받고 있음을 느끼게 해주자.

에필로그

행복을 주는 사람

본격적으로 글을 쓰면서 차 신부를 꿈에서 또 한 번 만나게 됐다. 이번엔 사제의 정식 복장을 하고 축복을 빌어주었다.

차 신부의 글을 통해 그 속에서 그와 많은 대화를 나눴다. 인생의 깊은 고민부터 어떤 진리가 진짜 진리인지, 어떤 지혜가 진짜 지혜인지 그리고 세상을 어떻게 살아야 하는지 등. 마치 아버지와 대화를 나누는 기분이었다.

첫 장부터 글을 마무리할 때까지 차 신부가 이 과정에 함께 했다고 느끼고 믿는다. 자신에 대해 말하는 것이기도 했지만, 그가 자신의 사명인 축복을 계속해서 빌어주려고 한 것이 아닐까.

생전에도 사람들을 위해 끊임없이 기도하고, 그들에게 축복을 빌어주었던 그의 일은 아직도 진행 중이다. 그래서 그는 이 책이 만들어지는 과정에 분명히 함께했고, 이 글을 읽는 사람들과도 분명히 함께할 것이라 확신한다.

차 신부는 따뜻한 마음을 가진 사람이었다. 슬픔 앞에 한없이 울기도 하고, 누군가의 아픔을 지나치지 못하는 공감의 전문가였다. 그리고 그 마음은 진심이었다! 그 안에 사랑이 넘쳤기 때문이다. 그는 미래사목연구소와 (사)미션 3000을 운영하면서 조용히 어려운 사람들과 선교지에서 고생하는 많은 사람을 도와주었다. 거창하게 드러내지 않고 숨은 일도 보시는 주님께만 보이려 노력했다.

그는 누구보다 복음의 열정을 살았던 바오로 사도 같은 사람이었다. 젊은 시절 무심코 말한 꿈은 그의 사제 생활 안에서 고스란히 이루어졌다. 그가 선한 꿈을 꾸었고 주님께서 그와 함께하셨기에 가능한 일이었다.

젊은 시절부터 함께해온 병에도 꿈에 대한 그의 열정은 숨 쉬지 않은 날이 없었다.

'무엇 때문에 그렇게 달려온 것인가. 무엇 때문에 자신의 온 마음과 힘을 다했나.'

그것은 아마 사랑 때문이 아닐까.

그는 사랑으로 사람들에게 희망과 행복을 알려주고 싶어 했고, 그 희망과 행복으로 사람들이 사랑을 실천하길 원했다.

그 사랑 속에서 그는 진정 '행복한 사람'이었고 우리를 행복하게 해준 사람이었다.

차동엽(노르베르토) 신부님, 감사하고 사랑합니다!

차동엽 신부를 추모하며

차동엽 신부 장례미사 강론

정신철(요한 세례자) 주교
인천교구장

하느님의 부르심을 받고 세상을 떠난 고(故) 차동엽 노르베르토 신부님의 영혼이 하느님의 자비하심으로 평화의 안식을 누리기를 기도합니다. 아울러 사제단의 한 형제를 잃고 슬퍼하는 우리 교구 모든 신부님들에게 하느님의 위로가 함께 하기를 기원합니다. 특별히 차 신부님이 시작하여, 신부님과 함께 교회의 사목을 생각하며 동고동락했던 미래사목 연구소 모든 직원분들에게도, 세계 복음화를 위한 '미션 3000'을 후원해 주시는 모든 형제자매님들에게도, 차 신부님 가족분들에게도 하느님의 위로가 함께 하기를 기도합니다.

'희망의 전도사'라는 별명을 지녔던 신부님이었습니다. 늘 사목의 열정을 지니고 모든 이들에게 하느님 안에서의 희망을 전파하셨습니다. 왜냐하면 사도 바오로가 로마인들에게 보낸 편지에서 말씀하셨듯, 우리는 희망으로 구원받았기 때문입니다(로마 8,24 참조) 그래서 신부님은 늘 말했습니다. '나는 희망한다. 너도 희망하라'(Spero spera).

그 누구도 말하지 않는 '희망'에 대해 차동엽 신부님은 늘 강조하고 말했습니다. 왜냐하면 2000년대를 접어들면서 우리나라 경제가 눈부

시게 발전하던 시대에 파고들고 있던, 세상의 어두움을 신부님은 읽었기 때문입니다. 그래서 더욱 힘차게 희망을 전파했는지 모르겠습니다. 잠시 지난 20년간의 시간을 돌이켜 보고 싶습니다.

경제가 발전하면서 많은 이들이 더 풍요로운 세상을 살 것이라고 생각했습니다. 하지만 우리가 원했던 풍요로움은 이루어지지 않고 있습니다. 뭔가 늘 부족하고, 늘 불만인 채로 하루하루를 살아갑니다. 또 그것이 늘 일상인 것처럼 느끼면서 하루를 지냅니다. 그러기에 현재를 살아가는 많은 사람들은 미래보다 현재를 즐기고자 합니다. 현실에서 만족하고자 하고, 뭔가 즐거워만 해야 한다 생각합니다. 그러면서도 계속 느낍니다. 현실에서 채워지지 않는 많은 것에 대한 '절망'을 느낍니다. 절망이라는 단어에 익숙해져가고 있을 때, 차 신부님은 희망을 말하기 시작한 것입니다. 그것이 우리 사회를 이끌 힘이었습니다. 모든 이들에게 용기를 주는 말이었습니다. 그래서 많은 이들이 고(故) 차동엽 노르베르토 신부님의 강의를 듣고, 신부님의 저술을 읽었던 것 같습니다. 왜냐하면 신부님의 글 속에서 희망 가득 찬 삶에로 자신을 내던질 수 있었기 때문입니다. 그러면서 신부님은 언제 그 희망에로 나갈 수 있느냐는 질문에 이렇게 대답했습니다. "하느님께 모든 것을 맡길 때 가능합니다."

갑작스럽게 신부님의 건강이 안 좋아졌다는 이야기를 들은 것은 지난주였습니다. 몇몇 신부님들과 차 신부님의 병실을 찾았을 때, 하느님이 주신 시간이 얼마 남지 않았음을 알 수 있었습니다. 신부님과 이런저런 이야기를 나누었습니다. 신부님은 유언처럼 '희망'에 대해서, '용서'에 대해서 조심스럽고 힘들게 말했습니다. 그러면서 마지막으로 "주교님 저는 모든 것을 하느님 뜻에 맡깁니다."라고 말했습니다. 당신이 늘 말했던 희망 전도사의 삶을 끝까지 보여주신 것 같습니다. 어느 동창 신부님이 저에게 상 중에 말하였습니다. 차 신부님에게는 죽음도 희망이었다고. 저는 그 말을 들으며 깨달을 수 있었습니다. 차 신부님은 죽음에로 나아간 것이 아니라 희망으로 나아갔다고. 왜냐하면 하느님께 모든 것을 맡기고 나아가는 길을 걸어가고자 하였기 때문입니다. 위령성월을 지내는 우리에게 깊은 묵상을 하게 합니다. 죽음은 인간의 마지막이 아니라, 희망에로 나아가는 시간임을 다시금 생각하게 합니다.

사제로 서품 받을 때 엎드렸던 그 장소에, 마지막으로 지상에서의 부르심에 응답하고 누워있는 신부님을 봅니다. 참 열정이 많았습니다. 한국 천주교회 최초로 사목에 대한 연구소를 창설하여 운영하였고, 40여 권의 책을 저술하였습니다. 교구의 많은 신부님들이 신학교에서 신부님에게 강의를 들었던 제자들입니다. 어떤 신부님은 저에게 이런 말을 해주었습니다. "차 신부님은 50명의 신부가 할 일은 하셨습니다." 너무나 열정적이기에 자신의 건강을 돌보지도 않았습니다. 늘 안 좋다는 것을 알면서도 사목에 대한 열정 하나로 모든 것을 이겨내려고 하였습니다.

신부님에게는 빈 시간, 허튼 시간이 없었습니다. 이탈리아 보세 수도 원 원장인 엔조 비안키 수사님은 사제는 시간을 성화해야 한다고 말씀하셨는데, 차 신부님이 그러하셨습니다. 하느님이 자신에게 준 시간을 성화하면서 영적인 삶을 살려고, 하느님이 주신 복음화의 사명을 다하기 위해 노력하셨습니다. 그러면서 당신이 사제서품 때 서품성구로 정한 요한 복음 16장 33절의 "내가 세상을 이겼다."라는 주님의 말씀을 세상에 알려주기 위해 온 힘을 다하셨다는 것을 느낍니다. 하느님께 대한 신앙만이 세상을 진정으로 이길 수 있는 힘이라는 것을 또다시 깨우치게 됩니다.

고(故) 차동엽 노르베르토 신부님, 그동안 수고하셨습니다. 고생도 많으셨습니다. 하느님 안에 나아가는 희망을 보여준 모습에 감사드립니다. 이제는 편히 쉬십시오. 그리고 절망에 빠진 이들을 위해 천국에서 많은 기도 해 주시기를 부탁하고 싶습니다.

"하느님, 세상을 떠난 고(故) 차동엽 노르베르토 사제의 영혼에게 영원한 안식을 주소서. 아멘."

차동엽 신부 입관미사 강론

홍승모(미카엘) 몬시뇰
가톨릭대학교 인천성모병원장

우리는 고인이 되신 차동엽 노르베르토 신부님을 하느님 품으로 떠나보내기 위해 여기 모였습니다. 사랑하는 분을 하느님 품으로 보내신 유가족들, 가족과도 같았던 연구소 직원들, 동창 신부님들, 고인과 친분이 계신 모든 분들께 깊은 위로의 인사를 드립니다.

인생에서 우리의 마음을 가장 아프게 하는 것은 함께 사랑하고 살아가던 사람의 죽음입니다. 내 가까이에 머물러 있었던 사람, 내 곁에 언제나 있으리라고 믿었던 사람의 죽음을 마주해야 할 때입니다. 내 곁에 언제나 있었으리라고 믿었던 사람이 어느 날 떠나버리고 그분이 있었던 자리가 텅 비어 있음을 느낄 때 더욱 슬픕니다.

신부님께서는 누산리 공소에서 시작해서 지금 연구소가 있기까지 많은 어려움과 아픔을 겪으셨습니다. 작년인가 한 번은 이런 말씀을 하신 것이 기억납니다. "나는 후회 없어. 끝까지 달릴 길을 최선을 다해 왔어. 나머지는 주님이 하실 거야." 신부님의 말씀 속에서 바오로 사도의 열정을 저는 보았습니다.

순수한 마음을 가지신 분
늘 여유를 가지신 분
당신의 자유를 주님을 위해 온전히 바치신 분
지병에도 불구하고 복음 선포의 길을 묵묵히 걸어오신 분
모든 이들에게 용기와 희망을 준 분

정말 보고 싶을 것 같습니다.

성경은 이렇게 증언합니다. "죽은 이들의 부활도 이와 같습니다. 썩어 없어질 것으로 묻히지만 썩지 않는 것으로 되살아납니다. 비천한 것으로 묻히지만 영광스러운 것으로 되살아납니다. 약한 것으로 묻히지만 강한 것으로 되살아납니다. 물질적인 몸으로 묻히지만 영적인 몸으로 되살아납니다. 물질적인 몸이 있으면 영적인 몸도 있습니다"(1코린 15,42-44).

주님께서는 신부님을 새 생명에로 인도하실 것이라 믿습니다. 부활이며 생명이신 주님께서 죽음의 심연 속에 있는 사랑하는 당신 자녀의 심장의 고동 소리를 울려 퍼지게 하실 것입니다. 마음 깊이 진정으로 사랑하는 사람이라면 아무리 먼 곳에 있다 할지라도, 설사 이별했거나 하느님 나라에 가 있다 하더라도, 언제나 우리 마음속에 살아 있습니다. 고인에 대한 소중한 기억이 늘 우리 마음에 남아 있는 한, 주님의 품에서 평안한 안식을 누리는 고인을 기도 중에 언제나 만나게 될 것입니다.

차동엽 신부 장례미사 추도사

조호동(바오로) 신부
인천교구 십정동 본당 주임

"내가 세상을 이겼다."(요한 16,33)

"주여! 차동엽 노르베르토 사제에게 영원한 안식을 주소서!"

"안녕! 나 차동엽 노르베르토야! 반가워. 나 이번에 입학했어, 잘 지내자."

1985년 1월 가정동 기도의 집에서 교구 신학생 입학 피정 때, 같은 학년이 된다고, 같이 공부하게 됐다고, 나이도 비슷하다고 좋아하면서 손에 힘을 꽉 주면서 악수하며 너를 처음 만났지.

그렇게 시작된 신학교 생활, 자신은 간이 무척이나 좋지 않다면서 무척이나 건강에 조심하고, 유의하면서 지내왔지. 사상의학이니, 수지침이니, 사우나니, 지압... 여러 가지 방법으로 자기 건강을 특별하게 신경 쓰면서 학교생활을 하다가 학부를 마치고, 너는 유학을 떠났지.

어떻게 건강하지도 못한 몸으로 유학을 떠나는지 걱정이 되었지만 워낙 자기 몸을 스스로 잘 관리하기에 잘 할 것이라고 믿었었지.

그렇게 너는 유학을 떠나, 네가 오스트리아에서 공부할 때 동창들 몇

몇이 너에게 찾아가 너를 만나 함께 여행을 할 수 있는 행운도 누렸지. 그리고 긴 시간 유학 생활을 마치고, 귀국 후 가끔은 만났지만, 오랜 시간 동안 함께 지내본 시간이 그리 많지 않았구나.

차동엽 노르베르토 신부야!

네가 우리 곁을 떠난 지가 3일뿐이 안 지났는데 벌써 네가 그립다.

사랑하는 이가 내 곁에 있는데도 그리운 것은 내 영혼이 그리워하는 것이고, 내 곁을 떠난 이가 그리운 것은 하느님을 사랑해서 그런 것이라고 하던데 지금이 그러하네....

네가 위독하다는 소식을 접하기는 했지만, 네가 어디 있는지 몰라 마냥 궁금해 하면서 기도할 수밖에 없었단다. 그러던 차에 지난 월요일 국제성모병원으로 옮겼다는 소식을 들었지. 찾아가서 보고 싶었지만, 그날 너도 알고 있는 동창들과 모임이 있어서 가지 못하는 대신 함께 모여서 너를 위해 기도하는 시간도 함께 가졌었단다.

그러나 아무래도 오늘 아니면 못 볼 것 같은 생각이 들어서, 늦은 밤 시간에 병원에 갔었는데, 그런데 밤에 병원에 가니깐 난감 하더라. 네가 어느 병실에 있는지 몰라서 병원의 로비에서 어떻게 하면 좋지. 어떻게 하면 좋지? 하면서 애태우고 있었는데 이진원 신부님을 만나 신부님의 안내를 받아 병실에 들어설 수 있었단다.

병실에 들어서니 까무잡잡한 얼굴을 한 채로에 침대에 누워있는 너를 보고 '정말 힘들었겠구나.' 하는 생각과 늦게 온 내가 미안 하더라.

너는 눈을 감고 있었고, 의식도 없었고, 거친 숨소리가 늦게 온 나를 질타와 위로해 주는 듯했단다.

나는 침대 곁, 너에게 다가가 한 손으로는 네 이마에 손을 얹고, 다른 한 손은 링거가 꽂혀 있는 손을 잡고서 "동엽아! 나 왔다! 조호동 신부야!"라고 하니깐, "그래, 잘 왔어, 반가워"라고 답하듯이 눈동자를 덮고 있는 눈꺼풀이 파르르 떨더구나. (그거 그러한 말을 하려는 것이었지?)

순간, "그래, 너도 나처럼 보고 싶었구나."라는 생각에 내 감정을 조절하기 힘들어 울컥 하는 마음과 함께 너를 황량한 광야에 홀로 남겨둔 채로 나 홀로 지내왔구나 하는 죄책감이 들더라. 자주 만나지 못한 죄책감 말이다.

할 말이 없었단다. 순간 무거운 침묵은 마치 어둠의 그림자 같아, "미안해." "고마워." "잘 살아 줬어." "나도 네가 자랑스러워." "너는 우리 모두의 자랑이었어." "너는 모든 이들의 희망 이었어." "괜찮아 다 잘 될 거야!" "이렇게 사는 것이 우리의 소명이야."라고 말하면서 어색하고 적막한 어둠을 쫓아내고 태연한 척 애를 썼지.

그런데 너도 뭔가를 이야기하고 싶었던 것 같더라. 호흡이 거칠어지고, 알아들을 수 없는 신음소리를 내면서 뜨지 못한 눈꺼풀 사이로 눈물이 흘러 그 자리에 고이더라. 마치 어린아이의 옹알이처럼, 목마른 이들에게 목을 적셔주는 옹달샘처럼.... 손수건을 꺼내 닦아 주었지.

예수님이 십자가에 달려 돌아가실 때 어떤 병사가 창을 들어 예수님의 옆구리를 찌르자 예수님의 옆구리에서 물과 피가 흘렀다는 성경의 말씀이 생각나더라.

십자가의 성혈이 온 세상의 죄를 씻고도 남을 만큼 그 신비는 우리가 알 수 없는 하느님의 모든 것을 알려주는 하느님 계시의 신비이듯이, 거친 호흡, 알 수 없는 신음소리와 함께 눈언저리에 고여 있는 눈물은 너의 모든 것을 말하는 너의 대답인지도 모른다는 생각을 하니 다 커버린 나, 감정이 메말라 버린 나에게도 아직도 뭔가가 남아 있는지 목이 메며, 닭똥 같은 눈물이 뚝뚝 떨어져 안경을 적시고, 침대의 시트를 적시더라.

잠시 호흡을 가다듬고 눈물을 닦으면서도 누워 있는 너를 보니 또 네가 고맙더라, 너에게 또 미안하더라. 또 네가 대견스럽더라. 너를 떠나보내야하는 것이 쉽게 허락되지 않더라.

너를 아름답게 떠나보내야 한다는 생각이 들어서 조용히 고개를 숙이고, 네 이마에 내 입술로 친구했지. 사랑이었어. 고마움의 표현이었어. 자랑스러움의 기쁨이었어. 너는 하느님의 부르심과 응답에 한 평생을 사는 하느님의 사제라는 사실을 확인해 주고 싶었고, 따스한 온기를 전해 주고 싶었어. “먼저 편안하게 잘 가!” 하면서 입술을 떼었지....

입술을 떼고 네 눈을 보니 또다시 네 눈에 눈물이 고였더구나. 너도 나와 같이 이별을 나누고 있었던 것 같더라.

사랑하는 나의 벗, 차동엽 노르베르토 신부님. 너의 눈물 닦아 주면서 내 평생 처음 너의 눈에 고인 눈물을 내 손수건으로 닦아 주었단다. 평생 처음이자 마지막이 되었단다. 너의 눈에 고인 눈물을 닦아 주면서 사람들이 손수건을 가지고 다니는 것은 자기의 눈물을 닦기 위한 것이 아니라, 사랑하는 이의 눈물을 닦아 주기 위한 것이라는 말이 생각이 나더구나.

이제는 너와 헤어져야 했어. 그런데 마음이 불안해. 하느님 곁으로 가는 길을 잃을까? 걱정이 돼!! 누군가의 손에 딸려 보냈으면 좋겠는데... 누군가가 동엽이를 하느님 품 안으로 안전하게 데려다주면 좋겠는데... 그 길을 홀로 가기는 너무나 두려운 길인데....

바로 그때 성모 어머님이 생각났어. 나도 잘 알고, 너도 잘 알잖아. 우리 모두의 어머니 말이야. 성모 어머님에게 너를 맡기면 성모 어머님은 너의 손을 꼭 잡고, 아니 너를 품에 안고, 너를 당신의 아드님이신 예수님의 어전에까지 안전하게 데려다줄 것 같았지.

우리 교회는 임종자를 성모 어머님에게 맡기기 위해 하늘에 계시는 성모 어머님께 위탁하는 아름다운 성가가 있지. 우리가 그 성가를 부르면 성모 어머님은 천국에 계시다가 만사 제쳐두고, 버선발로 뛰어나와 우리들의 요청에 따라 임종자를 맞이하신다는 아름다운 성가 말이야. 우리들이 매일 끝기도를 바치고 나면 부르는 〈살베 레지나〉를 곁에 있던 이진원 루치오 신부님과 함께 불렀지. 너도 함께 불렀겠지.

"성모 어머님,

당신은 사랑과 자애가 넘친 어머니이시니,
슬픔의 골짜기에서 당신을 우러러보면
울부짖는 우리를 불쌍히 여겨 주소서.
나 죽어 귀양살이가 끝난 그때,
나의 영혼이 당신의 아드님을 뵙게 해주세요.
성모 어머님은 참으로 아름다고,
참으로 자애로우신 어머님이십니다."라고 노래했던 〈살베 레지나〉 말이야. '성모 찬송가' 말이야.

이진원 루치오 신부와 같이 조용히 그러나 간절한 마음으로 함께 〈살베 레지나〉를 불렀지. 너도 따라 하는 듯하더라. 그래 지금은 소풍 나온 어린이처럼 성모 어머님 손을 꼭 붙잡고 그렇게 뵙고 싶었던 하느님의 아들 예수 그리스도를 뵙고 있겠지.

나의 벗이며, 모든 이들의 희망인 차동엽 노르베르토 신부님!

너를 하느님께 맡겨 드리면서, 너의 소중한 저서 『무지개 원리』를 생각하지 않을 수 없구나.

나는 '무지개 원리'는 하느님께 대한 너의 믿음이고 희망의 삶을 체험으로 담아낸 너의 신앙고백이라고 생각해. 네 안에 계신 성삼의 하느님께 온전하게 자신을 의탁한 너의 열정과 헌신. 하느님만이 모든 것의 주인이시며, 모든 것을 해결하실 수 있다는 확고한 믿음과 확신.

하느님께 대한 나약한 인간의 응답으로써 절제와 기쁨의 생활이 한데 어우러지고, 너의 삶의 동반자로 하느님이 허락해주신 아픔과 슬픔 그리고 지병의 은총. 그로 인해 평생을 자기 자신을 사랑하며 소중하게 보듬으면서 살아야 했던 십자가의 은총. 먹을 것을 맘대로 먹으려는 탐욕을 이겨내게 하신 절제의 은총. 하고 싶은 것을 맘껏 하지 못했던 나약함과 안타까움을 영적으로 승화시킨 영적인 은총.

이러한 하느님의 은총은 자기 봉헌의 사제직으로 부르심이었고, 자기 봉헌의 사제직은 희망의 메시지를 전하는 하느님 제자로서 하느님의 섭리 안에서 이루어진 것이겠지. 그러기에 너는 사제직의 소명을 충실히 살아 온 참다운 사제야. 너야말로 "Alter Christus!" "제 2의 그리스도야!"

오늘, 참다운 사제, 희망 사제를 하느님에게 맡겨 드리고, 너를 바라보면서 "자기를 온전히 봉헌한 사제의 죽음은 희망이다."라고 말하고 싶네.

차동엽 노르베르토 신부님!

이제 이 세상에서 가장 아름다운 말로 이별을 하는 거야. "고마웠어." "잘 가." 그리고 "천국에서 다시 만나자." "안녕~~~."

주여! 차동엽 노르베르토 사제에게 영원한 안식을 주소서,

영원한 빛을 그에게 비추소서.

차동엽 신부 삼우미사 강론

정인화(야고보) 신부
인천교구 청라 본당 주임

송구합니다만 강론이라기보다는 차 신부님에 대한 저의 소회를 나누는 것으로 대신하고자 합니다.

차동엽 신부님이 임종을 앞두고 있을 때 범박동에 있는 김정수 신부님으로부터 전화가 왔습니다. 차 신부님의 서품 제의를 찾는데 어떤 건지 모르겠다면서 알려 달라는 거였지요. 김 신부님은 차 신부님이 강화 본당 신부로 있을 때 신학교를 보내준 아들 신부입니다. 차 신부님이 수의로 입을 서품 제의를 찾고 있었던 거지요. 급히 서품 제의를 입고 있는 차 신부님의 사진을 전송해 주었습니다.

저도 그 덕분에 꽤나 묵혀둔 서품 때 사진을 보면서 차 신부님과의 추억을 더듬어 볼 수 있었습니다. 서품식 때 하얀 제의를 입고 수줍고 행복한 듯 연한 미소를 띠면서 서 있는 차 신부님, 그런 차 신부님 너머로 더 오래전의 한 모습이 오버랩 되었습니다. 바로 새하얀 해군장교 정복을 입은 모습이었습니다. 다소 왜소한 체구에 또 까무잡잡한 피부에 하얀 치아를 드러내면서 웃던 그 제복 입은 모습이 흰 제의를 입을 모습을 미리 보여 준 거 같은 느낌에 깜짝 놀랐습니다.

그때 차 신부님은 전역 후에 신학교 편입 예정이었습니다. 저는 신학교 1, 2학년을 본당에서 혼자 외톨이로 지냈습니다. 개념 없이 본당 신부님의 속을 꽤나 썩이면서 살았습니다. 그땐 본당에 선·후배가 있는 신학생들이 너무나 부러웠습니다. 제가 3학년으로 올라가던 해 차동엽 신부님이 2학년으로, 박희중 신부님이 1학년으로 동시에 편입과 입학을 했습니다. 저는 졸지에 외톨이에서 대빵이 되었지만 사실 이때부터 차 신부님은 어린 저희들의 든든한 의지가 되어 주는 큰~형님이었습니다.

동엽이 형은 나이나 경력에 걸맞지 않게 너무나 순수하고 순진했습니다. 방학 때 본당으로 나오면 본당 신부님은 저희들을 잘 챙겨 주셨습니다. 빈번하게 저희들을 사제관으로 불러서 함께 식사를 하곤 했습니다. 그런데 본당 신부님은 말씀이 꽤 없었습니다. 식사 중에 어색하고 무거운 긴 침묵의 시간이 흐르기가 일쑤였습니다. 본당 신부님이 아무리 편안하게 잘 해줘도 긴장할 수밖에 없는 신학생들인데, 남자 넷이 아무 말도 없이 식사를 하는 시간은 연옥이 이런 거겠지 할 정도였습니다. 동엽이 형은 우리 중 제일 연장자였기에 이런저런 얘기를 풀어내 보지만 본당 신부님은 외마디 대답 한마디면 끝이었습니다.

그 후 작전 모의를 했습니다. 대화거리를 각자 여러 개 준비해서 끊어지지 않게 순서대로 말을 하자는 것이었습니다. 그때 저희는 사제관에 들어가기 전에 "이 얘기는 어때? 저 얘기는 어때?" 하면서 깔깔대고 낄낄대고 박장대소를 하면서 나름 비장한 작당을 하고 의기양양 사제관으로 들어가곤 했습니다. 지금 영정사진에서 웃고 있는 형의 모습은 그때 모습 그대로입니다. 늘 우리 눈높이로 내려온 따뜻하고 친근한 형의 웃음소리가 지금도 귓전을 맴도는 듯합니다.

동엽이 형은 신학교에서 가끔 하는 축구도 미친 듯이 했습니다. 살랑살랑 뛰는 법이 없었습니다. 한참 어린 영맨들 속에서 폭주기관차처럼 혼신을 다해 공을 따라다녔고 볼을 내질렀습니다. 알고 보니 이게 동엽이 형의 본모습이었습니다. 한 번 목표가 정해지면 최선을 다해 내달리는 질주본능, 이게 동엽이 형이었습니다.

이런 형이 하느님께서 당신을 부르시자 응답을 했고, 마침내 당신을 어떻게 쓰실 것인지 그 쓰임새를 알아버린 것입니다. 신학교에 왔고 또 유학을 가서 더 공부를 한 것도, 또 철저한 건강관리도 그 쓰임새의 완성을 위한 과정이었습니다.

동엽이 형은 신학교 들어오기 전부터 간이 좋지 않았습니다. 가족력이라고 했습니다. 그래서 나름대로 건강을 지키기 위해 다양한 건강요법으로 몸 관리를 해왔습니다. 그렇지만 신학교에서의 공동생활이나 외국에서의 유학생활 속에서 주도적인 건강관리는 쉽지 않았을 겁니다. 이 관리도 단순히 건강하게 오래 살고 싶은 인간의 욕망이 아니란 것도 저는 차츰 알게 되었습니다. 주님이 쓰시고자 하는 그 임무를 완수하기 위해 지상에서 필요한 최소한의 시간을 확보하기 위한 안간힘이었습니다. 저는 단언합니다. 만약 동엽이 형이 저처럼 먹고 마시는 사람이었으면 이미 10여 년 전 아니 훨씬 그 전에 유명을 달리했을 겁니다.

동엽이 형은 맛없는 도시락을 싸 들고 전국 방방곡곡을 다니면서, 또 많은 저술 활동을 통해서 신자들에게 가톨릭 신자로서의 자긍심을 살려 주었고 자존감을 세워 주었습니다. 내가 가지고 있는 가톨릭 신앙이 얼마나 큰 보물인지, 그 신앙생활이 얼마나 신명 나고 신바람 나는 생활이어야 하는지를 깨우쳐 주었습니다. 세상 사람들에게 희망을 전하고, 행복을 전하고, 복음을 전하고 그렇게 달릴 길을 다 달렸습니다. 태울 에너지가 더 이상 한 줌도 남아 있지 않았습니다. 달릴 길을 다 달렸다는 바오로 사도의 말씀이 이런 거구나, 불꽃같은 열정과 삶, 달리 표현할 말이 없습니다.

지난 금요일 저는 주교님의 배려로 주교님과 홍승모 몬시뇰님과 함께 병실을 갈 수 있었습니다. 이미 기력이 다한 차 신부님은 주교님을 간절히 기다리고 있는 듯했습니다.

주교님께서, "신부님께서 연구소를 통해 해오신 모든 일과 신부님의 뜻은 그대로 유지해 나갈 것이고, 직원들도 그대로 승계를 하고, 후원회도 그대로 신부님의 뜻을 따라 꾸려나갈 것이고, 신부님께서 세상에 드러내신 하느님의 종 송해붕 요한 세례자의 순교지도 성지로 잘 조성을 하겠다."는 약속의 말씀을 하실 때마다 온 힘을 다해 고개를 크게 끄

덕이며 감사를 하셨지요. 비로소 온갖 무거운 짐을 편히 내려놓을 수 있었고 하느님께 모든 것을 다 맡길 수 있었습니다. 병실을 나설 때 뒤통수에서 들려오던 혼신을 다한 차 신부님의 "감사합니다." 하는 우렁찬 외침에 온몸이 전율했습니다.

"그 정도면 다 했다. 이젠 나와 함께 편히 쉬자. 이리 오너라." 이렇게 동엽이 형은 귀환 명령을 받고 주님 곁으로 가셨습니다.

앙상한 모습으로 병실에 누워 있는 형에게 마지막으로 제가 할 수 있는 말은 힘내라는 말이 아니라 고맙다는 말이었습니다. 형과 같이, 같은 본당에서 지냈고, 함께 신학교에서 살았고, 같이 서품을 받고 같이 신부로 살았다는 것이 너무너무 고마웠습니다.

이 땅의 많은 신자들과 우리 교회에 힘과 빛이 되어 주었던 형이 너무너무 고마웠습니다. 우리 교구에, 우리 교회에 형 같은 사제가 있었다는 것이 너무 큰 축복이고 고마움이었습니다.

부르심 받은 제자가 사명을 다하고 장렬한 마침을 보여 주는 형이 너무나도 존경스러웠고 고마웠습니다.

동엽이 형! 고마워!
차동엽 노르베르토 신부님 감사합니다!

차 신부님이 지상에서의 소명을 다 마치고 하느님께 돌아가는 이 여정에 기도로 함께해 주신 모든 신자분들께 감사드립니다. 특히 이 자리까지 와서 기도해 주시는 많은 신자분들께 서품 동기 신부들을 대표해서 진심으로 감사를 드립니다.

"주님, 차동엽 노르베르토 사제에게 영원한 안식을 주소서. 영원한 빛을 그에게 비추소서. 아멘."

추모글

허영엽(마티아) 신부
서울대교구 홍보위원회 부위원장

내 오랜 친구 차동엽 신부에게!

차동엽 노르베르토 신부님! 차 신부! 무슨 일이야? 백지장 같은 얼굴을 하고 누워있지만 말아. 어서 일어나 책 쓰고, 사람들에게 달려가 웃음꽃을 피우며 신앙 강의도 더 열정적으로 해야지!

어려서부터 몸이 허약하고 병치레가 잦았던 차 신부가 지금까지 해온 사목 활동을 필자는 기적이라고 생각합니다. 건강이 어떤지 안부를 물을 때면 "난 40세까지만 건강하게 살아도 하느님께 땡큐야!"라며 특유의 그 표정으로 웃어 보였지요.

차 신부를 처음 만난 건 1987년 오스트리아 빈에서였습니다. 우리 모두 20대 후반 나이였죠. 서울대를 졸업하고 뒤늦게 신학교에 입학한 차 신부는 유럽으로 유학 온 신학생이었지요. 새내기 신부였던 나는 첫 만남에서부터 '이 사람은 평생 함께 가게 될 것 같다'는 느낌이 들었습니다. 낯선 땅에서 힘들게 공부 중이던 우리가 함께 대화할 때면 서로의 신앙과 심성에 빠져드는 것 같았습니다.

차 신부의 관심 분야와 교회에 대한 생각은 끝이 없을 정도로 풍부했습니다. 그는 철저한 신앙인이었고 애국자였습니다. 연배가 비슷한 나와 차 신학생은 어느새 친구가 되었습니다. 빈에 머무르는 동안 주머니 사정이 조금 나은 나는 차 신학생을 매일 데리고 나가 맛있는 음식을 함께 먹었습니다. 타지에서 배고프고 힘든 사람에게 밥을 사주는 것처럼 큰 애덕은 없다고 하지요. 헤어질 땐 꼬깃꼬깃 접은 용돈을 그의 주머니에 넣어 주었습니다. 매번 사양하는 그에게 "나중에 다른 후배에게 대신 갚아요." 하면서 함께 웃곤 했습니다.

1988년 10월 29일 늦가을, 유럽에 머물고 있던 한국인 사제와 신학생들에게 슬픈 소식이 날아들었습니다. "전주교구 소속 김 안토니오 신학생, 인스브루크 알프스 산 등반 도중 실족사."

그 신학생 나이는 28세, 오스트리아 인스브루크대학에서 신학 공부를 마치고 몇 달 후 사제품을 받기 위해 귀국하려던 차였습니다. 그의 장례미사에서 차 신부를 만났습니다. 인스브루크 신학교 성당에서 한국의 가족이 한 명도 참여하지 못한 채 장례미사가 봉헌되었습니다. 이국땅에서 차갑게 숨져간 한 젊은이의 죽음은 우리 모두의 마음을 아프게 했습니다.

"친구야, 추운 땅속에 너를 묻으려니 몹시 마음이 아프구나. 춥지 마라. 몇 달만 있으면 우리가 그토록 그리던 한국에 갈 수 있는데... 왜 험한 길을 나선 거니?"

동료 신학생의 울먹이는 고별사에 우리는 참았던 울음을 터뜨렸습니다. 우리는 그날 울고, 또 울었습니다. 그리고 그는 십여 년 전 똑같은 사고로 숨진 『산, 바람, 하느님, 그리고 나』의 저자인 김정훈 부제 곁에 영원히 잠들었습니다. 묘지까지 가는 길에 차 신부와 함께 걸으며 많은 이야기를 나누었습니다.

"오늘은 우리가 이렇게 울고 슬퍼해도 결국 시간이 흐르면 잊히겠지요?" "살아있는 사람들은 자신의 삶을 또 살아가야 하니까요. 그래서 인생이 참 슬픈 거죠."

우리는 그의 영혼이 하느님의 자비 안에서 안식을 누리기를 기도하며 묘지에 꽃 한 송이씩 바쳤습니다. 그리고 고개를 들어 하늘을 한참 올려다보았습니다. 유난히 푸르고 높은 가을 하늘, 그 하늘 끝으로 가면 거기에 어머니의 나라, 우리의 고향이 있겠지 하는 생각을 위안 삼아 눈물을 삼켰습니다.

차 신부는 귀국해 사목과 강연, 집필 활동으로 무척 바쁘게 지냈습니다. 차 신부 저서 『무지개 원리』는 '한국판 탈무드'라고 불릴 정도였지요. 공중파 방송에서도 차 신부의 강연을 앞다퉈 요청하기도 했습니다. 그런 차 신부를 일 년에 한두 번 잠깐 만나는 게 전부였는데도, 우리는 오랜만에 만난 걸 실감하지 못할 정도로 편안했습니다. 하지만 그럴 때마다 나는 걱정이 많았습니다. 그가 어려서부터 건강이 안 좋은 걸 잘 알고 있었으니까요. 지금 생각하면 차 신부는 오래전부터 이미 죽음을 각오했던 게 아니었을까 싶습니다.

이 가을 차 신부를 떠나보내며 인간의 삶을 다시 생각해 봅니다. 존재의 근원 앞에서 한없이 유한하고 나약한 존재인 우리네 인생은 가을날 힘없이 떨어지는 낙엽과도 같습니다. 그러나 부활을 믿는 신앙인은 죽음이 끝이 아니고 새로운 삶으로 옮겨가는 과정임을 잘 압니다. 그래서 죽음을 묵상하면서 오히려 현재의 삶을 더 값지고 은혜롭게 살아야겠다고 다짐하게 됩니다.

나의 오랜 친구 차동엽 노르베르토 신부는 그런 길을 충분히 달렸고, 많은 이에게 빛을 비추어 주었습니다.

"주님, 사제 노르베르토에게 영원한 안식을 주소서. 영원한 빛을 노르베르토에게 비추소서. 아멘."

참고문헌

제1장 | 긍정이 낳은 힘

1 차동엽, 『희망의 귀환』, 위즈앤비즈 2013, 221.

2 차동엽, 『잊혀진 질문』, 위즈앤비즈 2020, 23; 『희망의 귀환』, 95.

3 차동엽, 『무지개 원리』, 위즈앤비즈 2018, 162-163.

4 차동엽, 『격언의 탄생』, 여백 2015, 118-119.

5 차동엽, 『통하는 기도』, 위즈앤비즈 2008, 125.

6 차동엽, 『믿음·희망·사랑(향주삼덕)』, 위즈앤비즈 2010, 79.

7 이은경, "'흔들리지 않는 희망의 광신도' 차동엽 신부", 『여성신문』 2012년 2월 24일.

8 차동엽, 『희망의 귀환』, 221-223.

9 차동엽, 『희망의 귀환』, 92-95.

10 차동엽, 『격언의 탄생』, 148.

11 차동엽, 『희망의 귀환』, 95.

12 차동엽, 『격언의 탄생』, 120-121.

13 차동엽, 『천금말씨』, 교보문고 2014, 33-34.

14 에리히 프롬, 『The Sane Society(건전한 사회)』 참조.

15 차동엽, 『희망의 귀환』, 176-177.

16 차동엽, 『바보Zone』, 여백 2010, 170-172.

17 차동엽, 『희망의 귀환』, 163.

18 차동엽, 『희망의 귀환』, 171-172.
일부 내용에 대해서는 흐름상 구어체로 변환했음.

19 차동엽, 『뿌리 깊은 희망』, 위즈앤비즈 2009, 185-186.

20 차동엽, 『바보Zone』, 180.

21 차동엽, 『잊혀진 질문』, 58-60.

22 차동엽, 『격언의 탄생』, 236.

23 차동엽, 『격언의 탄생』, 206.

24 차동엽, 『맥으로 읽는 성경 1』, 위즈앤비즈 2008, 215-216.

제2장 | 믿는 대로

1 차동엽, 『통하는 기도』, 17.
2 차동엽, 『통하는 기도』, 74–75.
3 차동엽, 『믿음·희망·사랑(향주삼덕)』, 231–232.
4 차동엽, 『여기에 물이 있다』, 미래사목연구소 2007, 8.
5 차동엽, 『밭에 묻힌 보물』, 미래사목연구소 2008, 7–8.
6 차동엽, 『무지개 원리』, 253.
7 차동엽, 『믿음·희망·사랑(향주삼덕)』, 80–81.
8 차동엽, 『믿음·희망·사랑(향주삼덕)』, 94–97.
9 차동엽, 『가톨릭 신자는 무엇을 믿는가 2』, 에우안겔리온 2003, 240–241.
10 차동엽, 『사도신경』, 위즈앤비즈 2012, 251–253.
11 차동엽, 『가톨릭 신자는 무엇을 믿는가 1』, 118.
12 차동엽, 『믿음·희망·사랑(향주삼덕)』, 101–102.
13 차동엽, 『믿음·희망·사랑(향주삼덕)』, 107–109.
14 차동엽, 『사도신경』, 186–187.
15 차동엽, 『가톨릭 신자는 무엇을 믿는가 1』, 240–241.
16 차동엽, 『통하는 기도』, 85–86.
17 차동엽, 『통하는 기도』, 212.
18 차동엽, 『통하는 기도』, 286–287.
19 차동엽, 『믿음·희망·사랑(향주삼덕)』, 271–272.
20 차동엽, 『믿음·희망·사랑(향주삼덕)』, 69–71.

제3장 | 지혜의 맥

1 차동엽, 『맥으로 읽는 성경 3』, 244.
2 차동엽, 『사도신경』, 52–53.
3 차동엽, 『믿음·희망·사랑(향주삼덕)』, 28–29.
4 차동엽, 『맥으로 읽는 성경 1』, 12–17.

5 차동엽, 『가톨릭 신자는 무엇을 믿는가 1』, 387-390.
6 차동엽, 『맥으로 읽는 성경 1』, 18-22.
7 차동엽, 『믿음·희망·사랑(향주삼덕)』, 98-99.
8 차동엽, 『사도신경』, 346-350.
9 차동엽, 『무지개 원리』, 64-65.
10 차동엽, 『천금말씨』, 77.
11 차동엽, 『무지개 원리』, 66.
12 차동엽, 『무지개 원리』, 72-73.
13 차동엽, 『선교 훈련 시그마 코스』, 미래사목연구소 2006, 342-343.
14 차동엽, 『통하는 기도』, 225-226.
15 차동엽, 『믿음·희망·사랑(향주삼덕)』, 175-176.
16 차동엽, 『사도신경』, 318.
17 차동엽, 『바보Zone』, 164-166.
18 차동엽, 『잊혀진 질문』, 272-273.
19 차동엽, 『바보Zone』, 143-144.

제4장 | 귀한 말씨

1 차동엽, 『천금말씨』, 45-46.
2 차동엽, 『천금말씨』, 70-71.
3 차동엽, 『희망의 귀환』, 198-199.
4 차동엽, 『희망의 귀환』, 139-141.
5 차동엽, 『무지개 원리』, 187-188.
6 차동엽, 『천금말씨』, 137-138.
7 차동엽, 『천금말씨』, 110-111.
8 차동엽, 『천금말씨』, 147-149.
9 차동엽, 『천금말씨』, 150-152;
핀, 차동엽 역, 『Hi, 미스터 갓』, 위즈앤비즈 2013, 74-75 참조.

10 차동엽, 『천금말씨』, 152-154.
11 차동엽, 『천금말씨』, 190-193.
12 차동엽, 『천금말씨』, 210-213.

제5장 | 희망의 샘

1 차동엽, 『희망의 귀환』, 54-55.
2 엠마 골드만, "희망을 찾아라",
김동범 엮음, 『삶이 그대를 슬프게 할지라도』, 푸르름 2003.
3 차동엽, 『희망의 귀환』, 56-58.
4 차동엽, 『잊혀진 질문』, 36-38.
5 차동엽, 『믿음·희망·사랑(향주삼덕)』, 116-118.
6 차동엽, 『믿음·희망·사랑(향주삼덕)』, 132-133.
7 육진아, 『대학내일』, 2011년 1월 17일.
8 차동엽, 『희망의 귀환』, 62-64.
9 차동엽, 『천금말씨』, 39-41.
10 차동엽, 『희망의 귀환』, 68-70.
11 차동엽, 『천금말씨』, 257-261.
12 차동엽, 『희망의 귀환』, 45-46.
13 차동엽, 『무지개 원리』, 40-41.
14 차동엽, 『사도신경』, 61-62.
15 차동엽, 『믿음·희망·사랑(향주삼덕)』, 167-168.
16 차동엽, 『맥으로 읽는 성경 1』, 261-262.
17 차동엽, 『격언의 탄생』, 33.

제6장 | 감사의 기적

1 차동엽, 『무지개 원리』, 316-317.
2 차동엽, 『맥으로 읽는 성경 1』, 236-237.

참고문헌

3 차동엽, 『믿음·희망·사랑(향주삼덕)』, 72-74.
4 차동엽, 『사도신경』, 339-340.
5 차동엽, 『천금말씨』, 178-180.
6 차동엽, 『무지개 원리』, 308.
7 차동엽, 『무지개 원리』, 309.
8 차동엽, 『무지개 원리』, 310.
9 차동엽, 『무지개 원리』, 310.
10 차동엽, 『무지개 원리』, 310-311.
11 차동엽, 『무지개 원리』, 311.
12 차동엽, 『무지개 원리』, 311-312.

제7장 | 행복의 숨결

1 차동엽, 『무지개 원리』, 278-279.
2 차동엽, 『행복선언』, 위즈앤비즈 2009, 85-86.
3 차동엽, 『천금말씨』, 25-26.
4 차동엽, 『격언의 탄생』, 193.
5 차동엽, 『무지개 원리』, 93-94.
6 차동엽, 『잊혀진 질문』, 80-81.
7 차동엽, 『무지개 원리』, 290.
8 차동엽, 『잊혀진 질문』, 78-79.
9 차동엽, 『격언의 탄생』, 177.
10 차동엽, 『잊혀진 질문』, 72-73.
11 차동엽, 『격언의 탄생』, 219.
12 차동엽, 『바보Zone』, 206-209.
13 차동엽, 『맥으로 읽는 성경 2』, 173-174.
14 차동엽, 『희망의 귀환』, 259.
15 차동엽, 『희망의 귀환』, 263-266.